ESPE
RAN
ÇA
FEMI
NIS
TA

ESPE
RAN
ÇA
FEMI
NIS
TA

DEBORA DINIZ
IVONE GEBARA

1ª edição

Rio de janeiro
2022

Copyright ©Debora Diniz e Ivone Gebara, 2022

Todos os direitos reservados. É proibido reproduzir, armazenar ou transmitir partes deste livro, através de quaisquer meios, sem prévia autorização por escrito.

Projeto gráfico de capa: BR75 | Luiza Aché
Projeto gráfico de miolo: BR75 | Luiza Aché e Raquel Soares
Diagramação: BR75 | Thais Chaves
Foto das autoras, p. 278: ©Julia Rodrigues

CIP-BRASIL. CATALOGAÇÃO NA PUBLICAÇÃO
SINDICATO NACIONAL DOS EDITORES DE LIVROS, RJ

D61e   Diniz, Debora
        Esperança feminista / Debora Diniz, Ivone Gebara. – 1. ed. – Rio de Janeiro: Rosa dos Tempos, 2022.
        ; 21 cm.

        ISBN 978-65-8982-806-8

        1. Feminismo. I. Gebara, Ivone. II. Título.

22-75446   CDD: 305.42
CDU: 141.72

Meri Gleice Rodrigues de Souza – Bibliotecária – CRB-7/6439

Texto revisado segundo o novo Acordo Ortográfico da Língua Portuguesa.

Direitos desta edição adquiridos pela
EDITORA ROSA DOS TEMPOS
Um selo da
EDITORA RECORD LTDA.
Rua Argentina, 171 – Rio de Janeiro, RJ – 20921-380 – Tel.: (21) 2585-2000.

Seja um leitor preferencial Record.
Cadastre-se e receba informações sobre nossos lançamentos e nossas promoções.

Atendimento e venda direta ao leitor:
sac@record.com.br

Impresso no Brasil
2022

SUMÁRIO

- **7** Introdução
- **15** Ouvir
- **39** Imaginar
- **63** Aproximar
- **87** Acalentar
- **107** Lembrar
- **131** Reparar
- **155** Recriar
- **179** Celebrar
- **203** Compartilhar
- **223** Perguntar
- **243** Falar
- **261** Desobedecer
- **279** Biografias de um encontro

INTRODUÇÃO

Nós não nos conhecíamos. O feminismo dos territórios laico e religioso nos deixava como duas companheiras de uma mesma comunidade de valores, porém com vozes à espera de encontros. A conversa chegou com a pandemia de covid-19: ao desamparo de nossa vida se sobrepôs um desalento triste; solitário, até. Éramos gente em estado de espera, uma multidão em luto, buscando uns aos outros. Queríamos nos juntar e oferecer-nos, como vozes em conjunto com outras pessoas, para ajeitar o desalento, partilhar emoções e caminhos possíveis. Uma certeza nos movia: não poderia haver *novo normal* em nossos pensamentos e práticas; nossos esforços de reconstrução tinham que ser para um *novo possível*. Era preciso movimentar a esperança feminista.

Começamos de um jeito novo: durante doze semanas, nos encontrávamos às sextas-feiras. Ivone num canto do mundo;

Debora, noutro. Havia um longe-perto intermediado pela tecnologia: a proximidade não era dada pelo espaço, mas pela multidão que acompanhou os diálogos noturnos. Os encontros eram momentos esperados com alegria em meio ao enclausuramento involuntário da pandemia. Eram momentos em que parávamos para contemplar os verbos, essa unidade das normas gramaticais que torna uma oração completa e a faz uma expressão provisória da existência. Pronunciávamos cada um dos doze verbos aqui reunidos como se perscrutássemos de outro jeito seus sentidos: Ivone começava em uma explosão de possibilidades, Debora insistia que acompanhá-la era como murmurar baixinho. Assim são os encontros poéticos em que as emoções se misturam aos pensamentos: alguém recita um verso, outras acompanham, todas se animam. A multidão que nos acompanhava on-line inundava os verbos com outras formas e regências. Erámos uma comunidade de mulheres e homens desconhecidos entre si que parava para recitar os verbos, tentar revirá-los nos sentidos, e pronunciá-los novamente em formato de dúvida, novidade e esperança.

Um sentido se fez comum: era preciso estranhar a conjugação patriarcal naturalizada em nós. O normal das regras jamais foi justo com as mulheres e outras gentes oprimidas pelas regras do corpo, da raça, da sexualidade ou do gênero. O normal tem nome e predicados – é o patriarcado racista e suas tramas perversas que discriminam os corpos. Neste livro, falamos muito do patriarcado, um regime de poder que oprime, segrega, controla e mata os corpos. Tristemente, é um regime de poder, hierarquizante e excludente, que, com diferentes intensidades, todos nós reproduzimos. É preciso assombrar-se para distanciar-se do patriarcado e de suas tramas perversas, como o capacitismo, o classismo ou o racismo.

Pode até soar palavra fora do tempo, pois, como no século XXI – um momento da história em que as mulheres podem tantas coisas –, ainda falamos em patriarcado como um regime de poder? A resposta está na própria pergunta: essa não é uma frase que seria pronunciada tendo os homens como sujeito da dúvida. A verdade é que nós podemos fazer muitas coisas, e mais que nossas antepassadas, mas ainda menos do que gostaríamos se não houvesse o patriarcado naturalizado. A mais importante delas é, certamente, manter-nos vivas, livres do feminicídio ou das leis penais que nos perseguem, criminalizando nosso corpo, nossos desejos e nossa existência, impedindo-nos de tomar decisões livres sobre nossa vida.

Não deveria ser normal que as mulheres fossem livres? Tristemente, há mais sobre o que nos inquietarmos nesta pergunta – que *nós* se imagina na ideia plural de *mulheres*? Nossa diversidade foi feita desigualdade com as heranças racistas, coloniais, e pelas diversas formas de capitalismo que se sucederam. Já estamos atrasadas na imaginação de um feminismo mais diverso e inclusivo, em que os movimentos de mulheres negras, mulheres atípicas e trans estejam na rica cacofonia sem um centro dominante. A esperança feminista não pode temer a diversidade, e se falamos em feminismo no plural é porque este livro é a prova de que encontros entre territórios de pronúncia são necessários e possíveis. Somos feministas que conjugam verbos para a construção de uma desobediência criativa ao patriarcado e suas tramas.

Tentamos pronunciar essa diversidade no passeio pelos doze verbos feministas. Nossos textos se encontram escritos de formas e em tempos diferentes: há memória da oralidade e trabalho de escrita. Os capítulos de Ivone têm o testemunho oral, o pronunciado no instante do encontro. Os de Debora saíram da oralidade para a escrita, misturaram-se à própria vida da escrevente. Os verbos são, assim, parecidos e diversos, pois pronunciados por mulheres com diferentes testemunhos do vivido e sobrevivido no largo da existência. Não esperamos que se complementem. O feminismo não deve ambicionar unidade ou coerência, mas permanente inquietação. Esperamos que o trânsito de vozes entre os verbos ajude a perturbar o pensamento.

É preciso escutar para imaginar, é preciso lembrar para perguntar, pois só perguntamos estranhando as respostas disponíveis. É subvertendo os verbos que nos animam que nos assombraremos com os efeitos do patriarcado em nós e nas outras. Somente juntas nos fortaleceremos para celebrar e desobedecer às maldições do patriarcado que estão na crença religiosa, nas leis, no que se chama *tradição* ou *normalidade da vida*. Falamos muito de mulheres, lembramos os corpos fora do binarismo de gênero, mas falamos muito pouco dos homens. Porém, este é também um livro para os homens: não há luta feminista sem eles. Os poderes se transformam por alianças e fraturas, ambas absolutamente necessárias. É urgente que os homens estranhem o patriarcado e o transformem, começando do miudinho da própria vida. O feminismo precisa de todos nós, assim mesmo, no plural do gênero indefinido pela gramática.

Se alguém já contou o número de verbos existentes na língua portuguesa, desconhecemos tal façanha. Os doze aqui escolhidos são políticos e poéticos, instaurados a partir de um feminismo imaginado pelo encontro entre nós duas e a multidão. Poderiam ser conjugados de outras formas e jeitos, ou mesmo substituídos por outros tantos. Não sabemos mais quem os definiu; se discutimos algo foi sua ordem: ouvir, imaginar, aproximar, acalentar, lembrar, reparar, recriar, celebrar, compartilhar, perguntar, falar, desobedecer. Mas, como feministas treinadas na desobediência, até mesmo subvertemos a forma de conjugá-los: ora mudamos os sentidos, ora as pessoas verbais. É assim a pedagogia feminista: uma mistura criativa de possibilidades, um eterno assombrar-se, uma permanente alegria pelo encontro com outras feministas, um futuro pleno de esperança de que o tempo ainda a ser vivido será mais livre e seguro para todas.

UM SENTIDO SE FEZ COMUM: ERA PRECISO ESTRANHAR A CONJUGAÇÃO PATRIARCAL NATURALIZADA EM NÓS.

OUVIR

DEBORA DINIZ

Começo pelo silêncio. Ouvir exige silenciar-se, abdicar do poder e da sedução da palavra. Mas ouvir não é o mesmo que pausar a voz, é gesto ativo para o encontro feminista – somente sendo capaz de ouvir é que seremos tocadas por outras vidas diferentes da nossa. Para isso, o *ouvir* precisa se transformar em *escutar*.

Peço desculpas por usar um verbo capacitista como a primeira ação feminista.[1] Acredito que nenhum outro verbo deste

---

[1] Capacitismo é o resultado de práticas e pedagogias que discriminam os corpos atípicos. Um corpo com deficiência é descrito como anormal, incapaz, uma matéria disforme a ser controlada pela medicalização ou mesmo desaparecida pela institucionalização forçada (Anahi Guedes, "Corpos (in)capazes". *Jacobin*. Especial 2020. São Paulo: Autonomia Literária, 2020. pp. 99-102). Usarei *corpos com deficiência* e *corpos atípicos* indiscriminadamente neste livro. A reflexão feminista sobre corpos atípicos é uma das mais ousadas fronteiras a expandir a política feminista. Rosemarie Garland-Thomas escreveu sobre os corpos com deficiência como corpos *ex-*

nosso verbiário convoque tão marcadamente um tipo de corpo.[2] Ouvir pede matéria ouvinte, segundo o dicionário. Mas quem definiu os sentidos das palavras no dicionário? Nem sei se há dicionários – essa enciclopédia de palavras de cada língua – com assinatura de mulher. Há dicionários feministas, é verdade, mas esses são documentos que se autointitulam assim por teimosia linguística, pois são antes um repertório acumulado para a política feminista.

É assim que desobedeço ao sentido do verbo, ao mesmo tempo que me inquieto às palavras deixadas pelos dicionários: ouvir não pede só ouvidos, mas muitos afetos. O verbo é uma alegoria de como deve se posicionar o corpo que se prepara para a transformação feminista – ouvir pode ser passivo, irrefletido até. Pode-se fingir que ouve alguém, e o silêncio pode ser mesmo expressão de desprezo pela falante. Deixa-se o corpo que ouve à disposição para que a outra enuncie palavras, sem, talvez, reconhecê-la como falante. O corpo que ouve pode se manter intacto, inacessível à provocação de quem fala. Se as palavras não provocam os afetos ou a imaginação de quem ouve, a audição acaba por ser mecânica e sem sentido, como se feita em idioma desconhecido.

---

traordinários (Rosemarie Garland-Thomas, *Extraordinary bodies: figuring physical disability in American culture and literature* [Corpos extraordinários: representando a deficiência física na cultura e na literatura estadunidense]. Nova York: Columbia University Press, 1997). Seria adorável que o uso corrente em língua portuguesa descrevesse os corpos típicos como *ordinários*, dada a ambiguidade de sentido que carregaria no uso político da categoria.

[2] Breviário é um livreto de orações, um livro preferido. Busquei nos dicionários e não encontrei a corruptela *verbiário*. Ousadamente, chamarei este livro de verbiário feminista.

Por isso começo a desgostar do ouvir; o verbo carrega uma indistinção insuportável ao feminismo. É certo que há diferença no palavreado, aí estão os dois verbos em locais diferentes do dicionário das palavras, porém convocados como sinônimos. Mas as palavras precisam ser desafiadas pela política feminista. A mim interessa aprender a escutar, e não apenas ouvir.

Os ideogramas da língua japonesa para ouvir e escutar me ajudam mais: *kiku* é o som para ouvir e escutar, a mesma recepção pela mecânica dos sons. A diferença está na imaginação iconográfica da escrita e no contexto de quem os anuncia. *Ouvir* (聞く) é desenhado por dois portões que acessam ao ouvido: é a operação do som em nosso corpo. *Escutar* (聴く) é composto por quatro partes: o ouvido; o número dez no topo; no centro da imagem há um olho; e na parte inferior, o coração ou a alma. É preciso dez vezes outros sentidos, como a visão ou os afetos, para que se possa escutar. *Kiku*/escutar me faz desobedecer a ordem de conjugação deste livro: vou transformar o ouvir em escutar. O verbo feminista que inicia este verbiário será *escutar*, e a personagem que o conjugará perturbando o dicionário será a escutadeira feminista.

Há treinamento nesta entrega à escuta, mas o treino é antes um gesto ético que acadêmico. Os livros nos ajudam a criar novas palavras e a desobedecer aos dicionários patriarcais, como fazem os livros feministas ou a literatura escrita por autoras decoloniais, que nos mostram como o racismo está entranhado no patriarcado.[3] Escutamos enquanto lemos

---

[3] Decolonialidade do gênero aponta para uma forma como os corpos se constroem e resistem aos poderes opressores. Em um sistema binário de classificação, *feminismo decolonial* é contrastado ao *feminismo civilizatório* (María Lugones, "Rumo a um

ou assistimos a filmes, mas, principalmente, escutamos na convivência com outras mulheres. Como antropóloga, fui treinada para ouvir e analisar; porém, aprendi a escutar e deixar-me afetar com o feminismo. Faço-me de etnógrafa feminista: ofereço-me em escuta para apreender a vida de outras mulheres para, junto a elas, reclamar o reconhecimento de suas vivências, suas necessidades e seus direitos.

A cada novo mergulho etnográfico de minha trajetória como feminista – seja na cadeia, na rua do crack, no luto de uma pandemia ou em uma sala escura de hospital para exames –, me confronto com os limites de minha compreensão das dores e alegrias das outras. Faço-me integralmente escutadeira feminista para apreender o que é ininteligível pela distância entre ela e eu, entre o mundo e meus testamentos imerecidos. Passo longas horas em silêncio, ouvindo palavras e seguindo os gestos da outra, para destrancar o portão de minha alienação e abrir os dez sentidos das emoções para escutar. Cada novo deslocamento etnográfico é um reinício do estranhamento de mim e um aprendizado político. Assim foi quando comecei a escutar as dores das mulheres grávidas de fetos com anencefalia que buscavam interromper a gestação.

---

feminismo decolonial". Tradução de Juliana Watson e Tatiana Nascimento. *Estudos Feministas*, Florianópolis, 22(3): 320, set.-dez. 2014, pp. 935-952. Disponível em: <www.periodicos.ufsc.br/index.php/ref/article/view/36755/28577>. Acesso em: 28 dez. 2021). Os dois conceitos são simplificadores de regimes de poder muito complexos sobre o entrelaçamento de gênero, raça, classe, nacionalidade e outros regimes de desigualdade nos corpos. O desafio dos feminismos decoloniais é a própria criação de uma nova geopolítica feminista para os afetos e para a política (Rita Segato, *Crítica da colonialidade em oito ensaios: e uma antropologia por demanda*. Tradução de Danú Gontijo e Danielli Jatobá. Rio de Janeiro: Bazar do Tempo, 2021).

Até 2012, o aborto por anencefalia era crime no Brasil. Uma mulher, mesmo sabendo que o feto não sobreviveria ao parto, era obrigada a se manter grávida, e se desobedecesse a lei poderia ser presa. Antes de iniciar o processo judicial que levou à descriminalização do aborto em caso de anencefalia, passei meses em uma sala escura de exames de ecografia. Ali, em silêncio, a mulher recebia o diagnóstico da inviabilidade do feto: "Não sobreviverá ao parto", diziam os médicos. Um silêncio recheado de angústia era a resposta. Quando a mulher falava, o diálogo ganhava outros rumos: "É menina ou menino, doutor?", "Qual o peso?". Eu não entendia aquele descolamento da tragédia para a normalidade da gravidez. Minha arrogância as sentenciava à alienação do real.

Só depois de muito ouvir, passei a escutar. Não era ignorância o que as levava às perguntas prosaicas de uma gravidez – o comum de uma gravidez também faz parte da decisão por um aborto, em particular no caso de diagnóstico de malformação fetal incompatível com a vida. Aquelas mulheres sairiam do hospital, entrariam em um ônibus, chegariam em casa, e uma pergunta feita a elas seria: "É menina ou menino?" Era preciso saber respondê-la, além de explicar que a gravidez seria interrompida. Resistentes ao poder médico, aquelas mulheres reclamavam a centralidade de suas vivências: elas abortariam, mas havia outras informações que importavam para a decisão, além dos códigos e diagnósticos médicos. Demorei a aprender a escutar. Quando as escutei, vivi uma experiência de assombro.[4]

---

[4] Assombro é uma experiência que retornará com o verbo *perguntar*.

É preciso entregar-se à escuta, por isso a transformação de um corpo em escutadeira feminista exige persistência e estranhamento, o que bell hooks descreve como a pedagogia feminista: "feministas são formadas, não nascem".[5] Mas como fazer para que ouvir se transforme em escutar? Como estranhar o patriarcado que cerra os portões da escuta para outras formas de vivência dos corpos? Em minha trajetória, exercitei a escuta na prática etnográfica – desloquei-me até onde estavam as dores das mulheres e ali só fiz ouvir, até aprender a escutar. Há, todavia, outra resposta, menos acadêmica e, para mim, a mais fascinante e persistente na história do feminismo, e também mais comum às mulheres à margem das salas de aula do feminismo acadêmico civilizatório: os grupos de consciência.

A expressão *grupos de consciência* pode soar disciplinadora, algo como se as mulheres fossem alienadas antes da chegada a esses coletivos. Infelizmente, é um pouco assim que o patriarcado nos deixa – alienadas dos valores do feminismo. Nos grupos de consciência, ou, talvez mais simplesmente, nos espaços fraternos para que as mulheres falem e troquem vivências, há treino para a escuta. Todas começamos falando e ouvindo, há excesso de palavreado em circulação. O processo pedagógico é lento, pois os portões dos sentidos estão colonizados pelo patriarcado, que criminaliza o aborto ou naturaliza o assédio sexual como uma prática masculina de dominação. Quanto mais diverso for um grupo de escuta mútua, mais outras raízes do patriarcado em nós serão mexidas – os efeitos nas mulheres negras, indígenas ou periféricas

---

[5] bell hooks, "Conscientização: uma constante mudança de opinião". In: *O feminismo é para todo mundo: políticas arrebatadoras*. Tradução de Bhuvi Libanio. 16ª ed. Rio de Janeiro: Rosa dos Tempos, 2021.

são mais perversos do que nas mulheres brancas privilegiadas, por exemplo, ou, nas mulheres de corpo atípico, mais do que nas mulheres sem deficiência.

Não se nasce sabendo escutar o feminismo, e a formação necessária para se fazer uma escutadeira feminista não são os títulos acadêmicos, mas a política feminista. Ao menos assim foi comigo na sala escura dos diagnósticos – precisei ouvir as mulheres em suas razões e seus sentimentos para melhor aproximar-me da decisão pelo aborto naquelas circunstâncias. Ouvir pode ser resultado disso que se chamam sentidos, e algumas de nós podem tê-los mais aguçados que outras, outras sequer podem tê-los. Mas uma boa ouvinte pode ser uma miserável escutadeira, e uma ouvinte treinada nos títulos acadêmicos pode manter os portões dos sentidos para a escuta fechados em si mesma. O feminismo precisa de escutadeiras, essas personagens capazes de escancarar dez vezes os sentidos para abrir os portões da pedagogia feminista.

A prática da escuta é sempre incompleta, pois ela necessita nos deslocar das certezas do vivido. Por isso, a escuta feminista será sempre incômoda. Mas o que escutamos e nos transforma em feministas? Escutamos as verdades das mulheres fora dos dogmas do patriarcado; escutamos a criatividade, a paciência, a coragem e a sobrevivência de mulheres submetidas a um regime de poder cruel que as discrimina, oprime e mata. Precisamos de outras mulheres que nos ensinem a escutar, por isso quanto mais diverso for o feminismo, mais inclusiva será nossa escuta e capacidade de transformação. Como bell hooks, eu também acredito que "não existe um só caminho para o feminismo", há vários.[6] Se insisto no feminismo, no singular neste livro, é apenas para descrever o que nos aproxima da diversidade de corpos, teorias, práticas, vivências e encontros para os verbos da esperança feminista.[7]

---

[6] *Ibidem*, p. 165.

[7] É um "feminismo marginal", como diz María Lugones: habitamos um lócus fraturado de resistência contra a colonialidade do gênero, e é desse espaço que podemos construir nossas coalizões. Para as coalizões feministas marginais não é preciso nenhum encantamento à categoria mulher ou mesmo sermos íntimas nas formas de resistência (María Lugones, *op. cit.*, pp. 935-952).

IVONE GEBARA

Talvez algumas feministas nos recriminem por iniciar nossos esperançosos verbos com o *ouvir*. É que para muitas mulheres o ouvir se relaciona com ouvir as ordens patriarcais provindas de poderes terrestres e celestes. Poderes sobre nós, que nos fizeram acolher a opressão sobre nosso corpo. Confesso minha dificuldade em permitir que esse verbo tão expressivo seja limitado a esse sentido. Ouvir é humano, é animal. É das aves e peixes, todos capazes de ouvir os sons uns dos outros e os muitos sons da natureza.

O mundo patriarcal hierarquiza o ouvir, hierarquiza as falas, hierarquiza os sujeitos que falam. O patriarcado impõe domínio ao lançar palavras de ordem e ao impor sua forma seletiva de audição. Somos todas falantes e ouvintes, porém submissas às múltiplas maneiras de falar e de ouvir, às múltiplas fôrmas que nos fazem modelar e escolher os sujeitos de nossa audição.

O feminismo nos convida a ouvir e a gritar coletivamente nossas opressões para que coletivamente possamos sair delas.

Falamos em nosso nome, a partir de nossas histórias, com nossa voz forte ou embargada. Falamos das múltiplas causas e ouvimos a voz umas das outras – das sem-teto, das sem-terra, das estrangeiras, das trabalhadoras, das negras, das índias, das brancas – em nome de nosso corpo comum.

Comecemos a ouvir as mulheres!

Gosto de buscar a etimologia das palavras porque elas me convidam a renovar e a precisar seus sentidos. O verbo *ouvir* vem do latim *audire*, que significa a capacidade de receber sons, distingui-los através do sentido da audição. Muitas vezes também usamos o verbo *escutar* como se fosse sinônimo de *ouvir*. Entretanto, na realidade existem nuances entre eles, e é preciso observá-las, aproximá-las e compreendê-las.

Escutar vem do latim *auscultare*, auscultar, colocar atenção nos sons para distinguir as cadências, as modulações, a intensidade das vibrações, para apreender os diferentes sentidos, como quando auscultamos um coração e queremos captar seu ritmo. Resolvi neste texto misturar *ouvir* com *escutar* para agradecer à Vida, à nossa capacidade de ouvir e escutar com uma privilegiada atenção às pessoas e a nós mesmas.

Ouvir para agir e agir em vista de um bem viver comum. Mas também ouvir desejos egocêntricos de expansão de minha vontade e privilegiar interesses privados. Tudo depende de quem ouve. Por isso, sempre que falamos de ouvir/escutar temos que introduzir a negação, ou seja, o não ouvir/não escutar.

A dinâmica do *sim* e do *não* é absolutamente interconectada em todas as situações de nossa vida. Se estamos sendo convidadas a ouvir é porque não estamos ouvindo bem, não estamos sendo capazes de auscultar o que está manifesto ou até mesmo escondido num lamento, numa lágrima, numa canção, num grito ou numa expressão de alegria. Dessa forma, ao refletirmos sobre o ouvir, estamos ao mesmo tempo refletindo sobre o não ouvir como duas expressões interdependentes da mesma capacidade de ouvir.

Não podemos ouvir tudo. Selecionamos falas e canções, escolhemos sons e ritmos. Algumas pessoas ouvem mais um som grave, outras, uma nota mais aguda; há quem ouça outros sons e até mesmo nenhum. É da nossa capacidade de reciprocidade e inter-relação múltiplas que pode nascer uma escuta real, que leva a uma ação ou a uma canção entoada em conjunto, incluindo nela também os que não ouvem materialmente.

Vivemos um tempo de muito ruído, barulho de todas as espécies e intensidades. Tudo se mistura e não conseguimos mais distinguir o significado dos sons nem prestar atenção às notas musicais da vida que precisam ser ouvidas. Já não prestamos atenção aos vários sons humanos que nos convidam a auscultar as interioridades sofridas, aliviá-las ou movê-las de lugar.

Hoje, além dessa incapacidade subjetiva, não ouvimos bem o que nos rodeia, porque andamos com nossos audiofones, cada pessoa escutando os sons que escolheu e conversando com quem tem vontade. Queremos apenas estar inseridas nos pequenos mundos e nos pequenos prazeres, deixando que o mundo aconteça aparentemente sem a nossa interferência. Fechamos nossos olhos e ouvidos para fora, para as ruas, e abrimos nossos ouvidos apenas para nossa música preferida, para nós mesmos, acreditando estar nos ouvindo. Será que estamos abafando a nossa voz interior? Será que ela existe? O que seria ela?

Penso que a voz interior é uma auscultação em relação ao que se passa conosco em contato com o mundo, uma auscultação que se faz com o corpo todo, não apenas com os ouvidos, e que repercute o mundo à nossa volta dentro de nós. Andando por uma rua movimentada, o que ouço, quem ouço? Olhando nosso mundo de hoje, o que mais ouvimos? O que escolhemos ouvir? O que não queremos ouvir? De que sons nos distanciamos ou de quais nos aproximamos e por quê?

Dentre os vários sons que podem ser ouvidos está a voz, o grito das mulheres pela afirmação de seus direitos. Não apenas as que gritam ouviram a necessidade de direitos, mas as que se calam e fecham seus ouvidos ouviram algo que escolheram não escutar, não dar atenção, não levar em conta. Ouvir ou não ouvir: eis a questão e a decisão.

Nossa voz de mulheres tem hoje a força do raio de Iansã, na cidade e no campo: "O vento de Iansã também sou eu/ [...]/ O raio de Iansã sou eu...", como canta Maria Bethânia.[1] Nossa voz denunciando as desigualdades de gênero, denunciando o racismo e a dor das mães de santo tendo suas casas destruídas, seu choro diante do filho negro morto pela polícia. E há tantas andarilhas vivendo sem casa, vagando com suas crianças pela rua.

---

[1] Maria Bethânia, "A dona do raio e do vento". Composição de Paulo César Pinheiro e Pedro Caminha. In: *Carta de amor Ao vivo Ato 1*. São Paulo: Biscoito Fino, 2013. Faixa 4 (2min58s.).

Somos voz de muitas gritando como num coro ensaiado, porque nossa dor é tão comum como o ar que respiramos. Somos vento e tempestade fora de casa gritando também contra o cárcere do leito onde algozes exploram e matam nosso corpo e onde os deuses não nos protegem mais. Somos grito rouco, louco, afinado e desafinado, pedindo que ouçam a nossa voz, que sintam ao menos em simpatia as dores de nosso corpo.

Não acolhemos mais o silêncio da obediência em nós. É esta a novidade que toca os nossos ouvidos. Já não silenciamos as nossas dores comuns. Já não somos mais as boas mães, as boas filhas, as boas esposas, as boas noviças, as boas cristãs. Já não somos filhas de Deus Pai Todo-Poderoso e de Mãe Igreja nenhuma. Não queremos mais ser as mães dolorosas nem carregar a sina de tantas Pietás que choram o filho sempre de novo crucificado.

Ouvir: estamos ouvindo nosso próprio choro, nossas canções de muitos lamentos e nossos tristes suspiros, sobretudo quando não querem ouvir-nos. E por que não nos ouvem? Porque atrapalhamos seu descanso secular em berço esplêndido, seus privilégios, seus poderes naturalizados. Querem-nos no lugar de sempre, obedientes, submissas e silenciosas. Mas o fato é que, de diferentes formas e em diferentes lugares, ao longo da História tentamos acordar-nos umas às outras, mas as estruturas patriarcais naturalizadas nos adormeciam de novo. Agora parece que conseguimos nos contagiar de maneira pública, local e mundial. Conseguimos levantar nosso corpo e nossa voz, batucar pelas cidades e campos e mostrar a força de nossa luta por liberdade. Estamos em estado de sítio, em estado de exceção, para que as regras estabelecidas pela dominação de nosso corpo se transmutem em vida digna, em respeito e contágio para uma humanidade solidária. Nossos utensílios são o som de nossas panelas tornadas tamborins em praça pública, são a nossa voz coletiva, forte e melodiosa acompanhada da denúncia de dores impostas. São a expressão da lucidez de nosso pensamento que critica a ordem que nos adormeceu em séculos de submissão e silêncio. Vamos nós mesmas declarar as leis que nos libertam. Porque sabemos bem que as estruturas patriarcais só subsistirão enquanto formos submissas, enquanto não formos capazes de unir nossa voz e nossas mãos para vencer a ignorância dos mandatários do povo.

As estruturas patriarcais só ficarão de pé enquanto acreditarmos nos seus deuses celestes, nas suas promessas para além da História, no seu amanhã que chegará só para os privilegiados. As estruturas patriarcais excludentes ficarão de pé ainda por muito tempo, se não ouvirmos o latejo incessante de nosso coração e os lamentos de tantas mulheres e crianças violentadas. As condenações injustas só subsistirão enquanto não tivermos a coragem de gritar mais forte com nosso corpo, nossa voz e a força de nossa solidariedade. Sabemos que o mundo não será perfeito, que a justiça não vencerá sempre, mas algo pode mudar. Por isso é preciso gritar, cantar e cantar para não morrer, cantar para reavivar a ternura, para fazer brotar lágrimas de conforto e de compaixão. É preciso que ouçam nossa canção, que abramos nossas portas umas às outras, que permitamos que nossas histórias escondidas sejam vistas, contadas e ouvidas, que nossos argumentos sejam considerados, e não silenciados em nome de princípios abstratos considerados maiores do que nossa dor, maiores que nossa história.

A escritora russa Svetlana Aleksiévitch, Prêmio Nobel de Literatura em 2015, escreveu um livro chamado *A guerra não tem rosto de mulher*.[2] A obra mostra como nos anais das guerras russas, onde soldadas armadas lutaram nos muitos campos de batalha, a presença das mulheres foi ocultada. Mais de um milhão de mulheres russas lutou na Segunda Guerra Mundial em diferentes frentes. Entretanto, os movimentos políticos e sociais russos, além de historiadores, não levaram em consideração esse fato. Por que nossa luta deve ser ocultada? Por que não revelar onde estivemos e o que fizemos? A quem nossa ocultação pode servir? O que de nós se quer manter escondido? Usam-nos e mantêm nossa identidade social inferior.

No mundo patriarcal há glória em matar aquele que é considerado inimigo, em apedrejar mulheres acusadas de adultério, em queimar bruxas consideradas cúmplices de Satã. A glória da guerra, de sair vencedor, também contagiou algumas mulheres, embora de forma diferente. Quantas se alistaram nas guerras? Quantas se entregaram aos vencedores vibrando de alegria frente às suas conquistas? O mundo patriarcal necessita da glória masculina sobre os outros e outras para viver e necessita da dominação e da ocultação histórica das mulheres para se manter de pé. O fato é que, de diferentes maneiras, sempre guerreamos, mas sempre negaram nossa participação, porque denunciávamos também a inutilidade das guerras e porque éramos perspicazes nas linhas de frente e de retaguarda. Na guerra, o sonho da maioria das mulheres não era matar *o inimigo*, mas sair da guerra, acabar com ela. A guerra, além de uma certa glória, lhes dava também muito medo. Svetlana Aleksiévitch recolhe testemunhos de mulheres que viveram a guerra. Uma lhe disse: "sabe o que pensávamos na guerra?

---

[2] Svetlana Aleksiévitch, *A guerra não tem rosto de mulher*. Tradução de Cecília Rosas. São Paulo: Companhia das Letras, 2016.

Como serão felizes as pessoas depois da guerra! Como será feliz e bonita a vida. Essas pessoas que tanto sofreram vão ter pena umas das outras, vão amar. Serão outras pessoas."[3]

Não só os civis e os militares negam a força das mulheres. As religiões, sobretudo as monoteístas, também nos esqueceram e nos construíram uma identidade submissa, declarando nossa incapacidade até de lidar com nosso corpo e de decidir sobre ele. Seu império dominado por um poderoso dublê celeste masculino nos submeteu por séculos ao domínio do consolo fornecido por essa *bondade* suprema e extraterrena. Era sua voz que ouvíamos, era a ela que imaginariamente nos submetíamos como força maior que nos habitava e exigia sacrifícios de nosso corpo. Nestes tempos estamos numa guerra diferente, temos outras armas e outros objetivos. Hoje, muitas de nós renunciamos ao fascínio dos pretensos vencedores. Repudiamos as armas e as indústrias bélicas. Repudiamos suas conquistas e sua violência. Nossa voz penetrando nos recantos do mundo quer destruir a insensibilidade frente ao sofrimento das mulheres do passado e do presente. Queremos acordar-nos e acordar os homens para a reciprocidade de direitos. Sem a ingenuidade de uma história de final feliz, estamos na luta cotidiana por muitos direitos que nos negaram e dos quais muitas vezes aceitamos a negação.

Nossa guerra tem História. Já temos escrito vários capítulos sobre ela há muito tempo, especialmente no século passado. Desde as sufragistas, estamos ouvindo que não fomos feitas para votar, não servimos para a política, não somos competentes para tomar decisões maiores nem aptas por natureza

---

[3] *Ibidem*, p. 389.

para representar Deus. Ouvimos e acreditamos. Ouvimos e nos calamos. É a isso que se chama *naturalização* das invenções sobre nós. A naturalização é a consideração de que uma força superior a nós, a força da natureza ou de uma divindade, nos fez assim e nada podemos mudar. Naturalizar é tornar normal o que é simplesmente um dado de cultura ou uma decisão conveniente emanada do poder estabelecido. Hoje descobrimos que é possível sair dessa invenção da sociedade, é possível mudar as visões e as regras do jogo cultural e sociopolítico. Hoje estamos ouvindo, vendo e sentindo de outra maneira. Por isso há um trabalho árduo, contínuo e prazeroso que está sendo feito por nós.

Somos herdeiras de mulheres fortes de muitas cores e culturas, que não se dobraram, que acolheram o valor de sua vida e de suas companheiras como presentes da Vida, uma vida a ser respeitada e fruída no aqui e no agora de nosso tempo. Se fizermos o exercício da escuta interior, a maioria de nós constatará o quanto muitas decisões e ações de justiça dependeram e dependerão de nós. O fato é que não tomamos tempo suficiente para desconfiar, duvidar, suspeitar do que nos dizem e acreditar no que sentimos, refletimos e afirmamos. Pensar com a própria cabeça a partir do que vimos e ouvimos torna-se uma missão importante para nós hoje. O que aprendemos ouvindo nossas dores e nossos lamentos? O que podemos fazer para aliviá-los? Como transformar nosso sofrimento comum alavanca para mudarmos as relações sociais injustas?

Não queremos mais ser rebaixadas e instrumentalizadas. Não queremos mais ser julgadas, violadas, desprezadas porque declararam nossa inferioridade ontológica. Não queremos ser objeto do amor de piedade e condescendência fundado na afirmação de nossa limitação ou de nossa beleza e *fragilidade*. Hoje, buscamos também gerenciar o mundo com justiça e inteligência renovadas. Não queremos mais silenciar as nossas dores e a nossa criatividade, mas calar o *sadismo patriarcal* que nos acomete com tanta frequência. Ele, como sutil armadilha, nos penetra e nos leva a fazer da dor silenciada o troféu da glória patriarcal feminina. Hoje, estamos dizendo juntas: basta! Não queremos mais ser saco de pancada do mundo, vítimas dos golpes e da embriaguez de companheiros. Não queremos mais ouvir seus gritos e estúpidas blasfêmias contra nós, calúnias vazias e insultos constantes. Não queremos mais que a morte seja a nossa solução, pois nos uniram ao violador "até que a morte nos separe". Não queremos mais a eternidade nessa história.

Fizemos a Lei Maria da Penha, fruto das agressões sofridas e da tenacidade de uma grande mulher.[4] Mas querem mudá-la, atenuá-la, destruí-la. Somente nós mulheres poderemos continuá-la e aperfeiçoá-la. Cabe a nós torná-la poder emanado de nossa autoridade e situação. Cabe a nós atuar na eliminação de nossa miséria e dos sofrimentos que nos foram impostos, assim como na manutenção de nossas conquistas em favor de nossa vida. Cabe a nós recusar o *masoquismo* imposto ao nosso papel de mulher, mãe e amante, inspiradas talvez no papel redentor do sofrimento ou na idealização da maternidade que esquece de si, que tudo espera, tudo perdoa, tudo cala.

Essa idealização também naturalizada nos ata a diferentes dimensões identitárias, sociais e emocionais. E os donos do poder patriarcal sabem disso. Por isso nos festejam e cobrem nossa submissão de elogios, para evitar o crescimento de

---

[4] Maria da Penha, *Sobrevivi... posso contar*. Fortaleza: Armazém da Cultura, 2014.

nossa consciência, calar nossa voz e fechar os nossos ouvidos para as tentações de insurreição que gritam dentro de nós. Eles exercem um *sadismo* social travestido de bondade, porque nos controlam e maltratam com luvas de pelica e nos tornam presas fáceis para as suas promessas de amor ilusório, ou melhor, de exploração certeira. Entorpecem nossa consciência, nos envolvem, nos seduzem, e passamos a desejar o que querem que desejemos. Nós nos tornamos consumidoras das imagens que nos propõem. Alienamo-nos então, isto é, separamo-nos de nós mesmas e refugiamo-nos em ilusões produzidas pelo mercado, inclusive religioso, para não enfrentar o sofrimento renovado da liberdade buscada. Por isso, não há que aceitar o exílio de nós mesmas, o silêncio dos clamores de nosso corpo.

Não podemos mais ser surda à nossa voz interior. Nossos ouvidos recusam-se a ouvir todas essas vozes dogmáticas e impositivas. Por isso, há que seguir denunciando de muitos jeitos as muitas e renovadas formas de opressão. Há que romper os muitos silêncios para que nossas vozes sejam ouvidas sempre de novo. Há que sair do mutismo de muitas dores e do medo das muitas repressões, para que ouçam a nossa voz e ouçamos a voz umas das outras. Há que darmos as mãos, buscar aliados de nossa causa, aproximar corpos até poder ouvir/escutar/auscultar suavemente o palpitar do coração de umas e de outras, e acreditar que nossa vida vale. E, para que continue a valer, temos que acolher uma certa *disciplina* de vida e de reflexão para sair das ideias fixas, das imposições internas e externas, do *sempre foi assim*. Nossas vitórias contra o obscurantismo e a ignorância são tão provisórias quanto nossa vida. São renováveis como o ar que respiramos, como a floresta que brota de novo, como a semente cheia de promessas de vida, como a humanidade que renasce de geração em geração. Quem tiver ouvidos que aprenda a ouvir. É um aprendizado sem fim. Um aprendizado que se funda na mobilidade mutante da vida, na sua extraordinária beleza e extasiante criatividade, que nos convida sempre a buscar a liberdade.

NÃO
ACOLHEMOS
MAIS O
SILÊNCIO DA
OBEDIÊNCIA
EM NÓS.

IMAGINAR

DEBORA DINIZ

Cogitei não incluir o *imaginar* para a esperança feminista. Parecia-me um verbo frágil: um pensamento que não seria nem verdadeiro nem falso, quase um sonho. Estava errada, pois "apenas os que desistiram guardam o sonho para o tempo de dormir".[1] Compreendi que imaginar é como fazer, antecipar novas crenças, entregar-se à possibilidade do encontro. Uma feminista não desiste, por isso sempre imagina.

Já falamos do ouvir. Já ouvi muitas histórias de dores que não fui capaz de imaginar. Ouvir não foi suficiente para exercitar a imaginação sobre quem seriam as mulheres que vivem nas ruas, como sobrevivem, de onde vêm, o que comem ou como cuidam do corpo. Eu comecei a imaginá-las quando me lancei

---

[1] Valter Hugo Mãe, *As mais belas coisas do mundo*. Rio de Janeiro: Biblioteca Azul, 2020. p. 31.

como uma escutadeira de sua vida. Os elementos de representação de que eu dispunha eram fracos, estereotipados, marcados pela abjeção de quem teve o poder de descrevê-las. A distância existencial entre minha vida e a vida dessas mulheres não me permitia desenvolver instrumentos éticos ou estéticos para imaginá-las para além da superfície da quase inexistência. Eu vivia num estado de desimaginação sobre elas.

Comecei a exercitar minha imaginação antropológica sobre as mulheres que viviam na Cracolândia de São Paulo em 2015.[2] Naquele momento, aquele era o maior aglomerado de pessoas unidas pelo crack vivendo na rua, na América Latina. Fui buscar imagens sobre elas, pois meu repertório visual era pobre. Nos mapas digitais, o local era descrito como *Zumbilândia*. Elas pareciam ser isto, tristemente: zumbis, seres desumanizados, corpos sem identificação que perambulavam pelas ruas. Ouvi histórias fantásticas sobre o que acontecia naquele espaço apinhado de gente, nos escondidos entre as barracas, na rua com dono próprio e odiada pelos que faziam a lei e vigiavam a ordem. Eu queria estar ali no meio daquela gente, mas não estava preparada: eu sequer era capaz de imaginá-las para além de *zumbis*. Não sei mais dizer se eu sentia medo dos *zumbis*, pois a memória dos afetos desaprendidos nos trai. Quando comecei a desaprender o capacitismo, o racismo e os efeitos da desigualdade de classe em mim? Não sei, pois é longo o processo de desaprendizado. Só sei que é preciso imaginar para desaprender.

---

[2] Cheguei à Cracolândia de São Paulo, em 2015, para realizar um documentário chamado *Hotel Laide*. (Direção: Debora Diniz. Produção: Luciana Brito e Sinara Gumieri. Brasília: ImagensLivres, 2015. (24 min), color. Disponível em: <www.youtube.com/watch?v=05ZEhEElNwY>. Acesso em: 28 dez. 2021.)

A imaginação é uma forma de se preparar para o encontro com a outra e o desencontro consigo mesma. Mas não é qualquer imaginação – é imaginar a outra com ternura. As histórias que eu aprendia oscilavam entre a piedade aos miseráveis e a abjeção aos *zumbis*. Comecei a catalogar minha própria imaginação: eu visualizava homens, muito jovens e magros. Eu os via com o cachimbo e quebrando pedras. Não tinham cara de perigosos, só de gente desesperada. Eu não conseguia imaginar as mulheres. Mesmo forçando-me como um exercício de dever do pensamento, elas não vinham. Quando começaram a chegar entre minhas ideias, elas eram como eles, mas em corpo de mulher: jovens, magras, empoeiradas pelo asfalto. Abandonadas em si mesmas. Elas eram o espectro do desamparo que eu havia conhecido nos manicômios judiciários, nas cadeias de mulheres adultas e nas prisões de meninas. Nesses relâmpagos de imaginação forçada, as mulheres eram cis, aquelas sexadas e generificadas como mulheres. Outras formas de vivência do corpo e da identificação sexual e de gênero eram desimaginadas por mim: não havia mulheres trans.[3]

Minha imaginação *era* uma máquina de reprodução de estereótipos e de abjeção – ou do que a ciência chama de *perfis*: neste caso, o do povo da rua. Uso o verbo no passado para oferecer um pouco de conforto ao me escutar no largo da vida – há ainda isso tudo de ruim e perverso em mim, em permanente exercício de desimaginação. Ouvir não me

---

[3] "Mulheres" é um conceito político e existencial neste livro – um regime de classificação dos poderes sobre nosso corpo; uma categoria de identificação material e existencial de cada uma consigo mesma; e uma expressão para o encontro de mulheres com outras mulheres, quaisquer sejam as matérias corporais, vivências ou identificações sexuais ou de gênero no curso de sua biografia.

arrancava do lugar miserável em que o desconhecimento se fez senso comum e em que as pessoas como zumbis são desimaginadas. Nada mais perigoso para a esperança feminista que o senso comum, esse repertório de coisas que todos devem saber, porque simplesmente *assim é a vida*. Há tipos diferentes de conhecimento do senso comum – um me explica por que as abelhas produzem mel, outro me conforma a crer que gente da rua é zumbi. Nunca investiguei por que as abelhas produzem mel ou vivem em colmeia. Não escrevo isso com orgulho, é só uma confissão de quem acredita na ciência, na dúvida como método, e se acomoda nas prateleiras do conhecimento que conseguirei movimentar no prazo de validade de minha vida. Mas, até ir à Cracolândia, eu vivia no torpor do senso comum de estereótipos e discriminações sobre o povo da rua.

Para conhecer é preciso imaginar. No caso das abelhas, eu as vejo, devo ter estudado na escola por que elas fazem mel. Na pedagogia do aprendizado, há uma mistura entre informação e imaginação, sendo que os fatos passam a se sobrepor à imaginação. *Assim é uma abelha*, dizem os livros, *assim elas vivem, assim elas produzem mel, assim elas morrem*. Nada parecido podemos ou devemos fazer sobre a vida humana. Sei que pareço especista nesse binarismo entre animais humanos e não humanos, essa forma de antropocentrismo que nos coloca no centro das preocupações e proteções. Serei sensível aos animais não humanos, às árvores, às flores e aos rios neste livro. Reconheço nossos deveres de cuidado e proteção ao que se descreve como *natureza*, outro senso comum que agora repito. Mas minha alegoria da abelha é apenas um exercício de imaginação sobre o que faz a incuriosidade em nós: ela nos acomoda.

A imaginação precisa da curiosidade para ser ativada. Eu vivia em um estado de incuriosidade e desimaginação sobre as mulheres da rua, o povo da Cracolândia em particular. Houve até novela com ares documentais sobre aquela gente, uma atriz com corpo e cor muito diferentes do povo da rua se fez de mulher com cachimbo na boca. Comecei a sair do torpor da incuriosidade pelo que fazem as cientistas: estudando. Li sobre o que o crack faz nas pessoas, os efeitos na saúde pública, o sofrimento mental do povo da rua. Nessa busca, o encontro com etnografias, esse tipo de relato acadêmico mais próximo à imaginação literária, foi fundamental para o treino de sensibilidade. Mas há uma diferença entre a passividade às verdades da ciência e o apagamento da capacidade de imaginar. Quanto mais eu lia e estudava, mais eu acreditava me preparar para o encontro, pois exercitava a realização daquelas pessoas. Elas começavam a não ser mais *zumbis*.

Escrevi que *acreditava* me preparar para o encontro enquanto lia, estudava e pensava. Fiz da distância existencial um projeto intelectual de aproximação – o gesto de nosso próximo verbo, *aproximar*. Tentei me desacomodar pelo desconhecido de um jeito que ainda faço: intelectualizando-me como forma de proteção do inesperado da vida em um encontro entre mulheres tão inusitadas entre si. Ao me definir como uma entre outras sabidas sobre o crack, eu me investia de poder sobre o povo da rua: eu sabia de coisas sobre eles, enquanto eles nada sabiam de mim. Essa é só uma ilusão acadêmica de poder. As palavras dos livros e as imagens dos filmes eram uma forma de conhecimento; na rua, há outra fundamental à sobrevivência: observar. Não à toa, quando cheguei à Cracolândia, me mandaram esperar dias na fronteira entre o território do crack e aquele em que eu poderia transitar sem o salve do dono da rua. Eles me observaram e, ao modo próprio de produzir conhecimento, me investigaram antes de me autorizar a entrada.

Há uma diferença entre saber e imaginar. Eu comecei a saber coisas certas e erradas sobre o crack, mas nem sempre o conhecimento nos leva à imaginação. Assim também foi sobre o povo da rua em relação a mim: o que fazia ali meu corpo tão estranho àquele lugar? Eu não ia para salvar almas, não sabia curar feridas, não alimentava a fome, sequer tinha o corpo de quem vigia. Chegou um momento em que eles sabiam o suficiente sobre mim, uma dona qualquer que quer contar uma história qualquer. Uma curiosa, talvez bem-intencionada e inofensiva. Eu tinha o salve do dono da rua; era meu dever conquistar a confiança de quem quisesse se aproximar de minha câmera. Antes, no entanto, eu deveria mudar minhas roupas, disse o dono da rua. O jeito que eu me vestia o fazia lembrar a polícia. Meus trejeitos e minha idade, minha cor e meu corpo, um colete afetado de fotógrafa, todos eram cacoetes da punição para o povo da rua. Eles já sabiam quem eu era e me imaginavam sob suspeita.

Por que insisto nessa diferença? O conhecimento dos livros me auxilia no rompimento de estereótipos e mentiras sobre quem seriam o povo da rua, as mulheres que fazem aborto, as mulheres e meninas que cometem crimes, ou sobre as mulheres vítimas de violência doméstica. O conhecimento da rua ofereceu minha ficha de intenções para os dias de espera na esquina na Cracolândia, uma ficha de quem eu não seria: eu não era polícia, não era pastora ou peregrina, não era assistente social ou enfermeira. Mas a desimaginação sobre quem somos em um encontro não se resolve apenas pelo conhecimento. Sei que pareço normativa demais para quem passeia pela imaginação como forma de criatividade, por isso retorno à alegoria da escutadeira: para a esperança feminista, precisamos da criatura que se desimagina antes de aproximar-se da outra. Eu não sei se me desimaginei quando me movi à Cracolândia, por isso o colete me acompanhou como herança de nossas distâncias na sobrevivência.

A imaginação será sempre limitada para antecipar o que é o vivido pelas mulheres. E é importante que assim seja, pois só assim nos espantamos com os limites da capacidade de imaginar e sentir. Se imaginar se confundisse com conhecer, não precisaríamos sair ao mundo para o encontro vivido. Eu não passaria dias, calada e ansiosa na esquina de uma rua, à espera que uma soldada da Cracolândia me perguntasse, como aconteceu: "O que você quer aqui?" A imaginação é um instrumento para o encantamento do mundo – nos encantamos pelo que nos deixamos afetar e nos entregamos à afetação. Eu não fui enxotada daquela esquina, algum fascínio mútuo minha presença provocava naquela espera. Jorge Luis Borges disse que "há aqueles que não podem imaginar um mundo sem pássaros, há aqueles que não podem imaginar um mundo sem água; ao que me refere", explicava, "sou incapaz de imaginar um mundo sem livros".[4] Eu não sou capaz de imaginar um mundo sem gentes, humanos e não humanos.

Os livros importam para imaginar o mundo, mas também o vivido pelos encontros. Eu cheguei à Cracolândia para contar

---

[4] Jorge Luis Borges, "Hay quienes no pueden imaginar un mundo sin pájaros" [Há aqueles que não podem imaginar um mundo sem pássaros]. *El País*. 8 out. 1985. Disponível em: <www.elpais.com/diario/1985/10/09/cultura/497660402_850215.html>. Acesso em: 28 dez. 2021.

uma história em filme; não sabia qual, mas pelo aprendido pelos livros e imagens eu imaginava que seria de uma mulher jovem, negra, pobre, sozinha. Nada mais sabia sobre ela, só que ela estava ali, escondida entre tantos e tantas como ela, e tão diferentes de mim. Quando olhei a soldada, uma mulher imponente para o meu corpo imunizado pelos privilégios da vida, sabia que não seria ela, ali estava só uma intermediária. Eu precisava ser acolhida por aquela comunidade, com minhas existências fora daquele lugar e uma câmera em mãos. Enquanto o repertório aprendido no tempo da biblioteca me guiava sobre o que ouvir, observar e cuidar, o real desafiava cada pedaço do conhecido como certo e errado e deflagrava o deslocamento da imaginação em um espaço deixado entre a outra e eu. Um encontro atravessado pelo poder patriarcal, racista e classista, também ali naquele lugar que parecia ser a rua sem lei. A soldada negra me levou ao dono da rua, um homem branco e jovem, a quem eu teria que me apresentar e que precisaria convencer sobre minhas intenções, para ser aceita.

Sem o vivido, nossa imaginação se confunde com os poderes da vidência ou com as dores da alienação – talvez seja fé ou loucura. A imaginação sem o real se torna ficção. O dono da rua estava ali, em um buraco escondido na parede, fora da vigilância da polícia. Ele me esperava com uma cerveja e uma pistola: uma cena antecipada em mim pela ficção. Porém o encontro era real, e as perguntas, genuínas. A decisão do dono da rua foi um salve: eu poderia andar, perguntar e filmar, sempre sob a vigilância da soldada. O resto, cabia a mim: encontrar-me com uma mulher que também desejasse o encontro comigo.

Nenhuma palavra havia me preparado para conhecer Angélica e sua vida na rua desde os 12 anos, a gravidez, as passagens por unidades socioeducativas, internações compulsórias e o presídio. Menos ainda para escutar os gritos de "Olha o anjo!" em meio a uma coreografia de cabeças baixas, cachimbos escondidos e um certo silêncio em um lugar em que se nunca cala a voz. O grito é um salve, um mandado de dever cobrado com sangue. A passagem de uma criança pela Cracolândia exige modos e respeitos – o anjo era uma bebê que cruzava a calçada em passeio de uma esquina a outra. Uma estrangeira daquele não lugar.

Ao contar essa cena em livro e mostrá-la em filme, o anjo se metamorfoseia novamente de real em imaginação. Quem assiste à cena do anjo desloca-se sobre quem ali vive – quem se desalenta pelo abandono de ser só um corpo na rua – e, espero, pode se deixar provocar pela força da imaginação para a realização de vidas vividas de forma diferente da nossa. Há uma ilusão de objetividade em ver e ouvir "Olha o anjo!", reconheço. Mas o encontro precisa ser vivido para ser transformador, e a imaginação é um dos afetos para deixar-se tocar pelo que a outra provoca em mim ao interpelar-me. A mim, interessa explorar como exercitamos a imaginação para a esperança feminista. Imaginar para sentir, pois só sentindo nos relacionamos às vivências, necessidades, alegrias e dores das outras.

IVONE
GEBARA

Os dicionários etimológicos dizem que *imaginar* é conceber a imagem de algo que não é real, que não está presente no imediato, que ainda não existe e que pode não existir. Podemos entender algo da explicação do sentido do *imaginar* como verbo ou da *imaginação* como substantivo. Mas uma explicação assim direta e curta às vezes corre o risco de diminuir a beleza de palavras tão bonitas, tão poéticas e mágicas, como *imaginar* e *imaginação*. Corre-se até o risco de acentuar mais aspectos negativos dessa dimensão constitutiva dos seres humanos, sem a qual não seríamos o que somos. Pode-se também diminuir o seu sentido artístico tão cheio de múltiplas inspirações, sonhos de amor, justiça e beleza. Gosto da palavra *imaginar*. Ela é mãe da poesia. Precisa daquilo que não existe para afirmar mais coisas do que aquilo que já existe. É expressão da produção criativa da vida, necessária quando queremos ir para além dela, como se quiséssemos enfeitá-la com nossa arte, com sonhos, com invenções nem sempre boas, sem dúvida, mas invenções, que embelezam ou até enfeiam o cotidiano.

Lembro-me do poema "O fotógrafo", de Manoel de Barros, que dizia assim: "Tinha um perfume de jasmim no beiral de um sobrado. Fotografei o perfume."[1] Só a doida imaginação poética é capaz de fotografar um perfume de jasmim!

A imaginação é a gente conversando com a gente sobre as possibilidades futuras de nossa vida, sobre mudanças desejáveis e necessárias. Podem ser coisas boas e até mesmo coisas ruins. A chave está no coração, naquilo que a gente sente em relação aos outros e à vida.

Há imaginações perversas, odiosas, destruidoras, egoístas, capazes de não somente imaginar loucuras megalômanas, estratégias de guerra, vinganças, mas chegar-se até a afirmá-las como justiça humana ou divina. Essa é a parte frágil de nossa imaginação. A parte que adoece e se deixa levar por forças negativas que também nos habitam. Submete-se ao prazer individualista, ao terror imposto a outros e outras e se compraz com a destruição do que pode atrapalhar o seu caminho.

Quero sair um pouco dessa imaginação cruel para resgatar algo que possa fortalecer nossa esperança, que possa nos ajudar a sorrir frente às possibilidades de vida digna para os terrícolas que somos. Quero recuperar a imaginação como força constitutiva que pode nos ajudar a inventar mundos melhores para as mulheres, para os homens e para todo o planeta.

---

[1] Manoel de Barros, "Ensaios fotográficos". In: *Poesia completa*. São Paulo: Leya, 2010. pp. 379-380.

Nas minhas excursões solitárias sobre o verbo *imaginar*, além do poeta Manoel de Barros, irrompeu em minha mente lembranças de *O Pequeno Príncipe*, aquele livro de Antoine de Saint-Exupéry que muita gente leu.[2] Lembrei-me da cena do primeiro encontro do piloto caído no deserto com o principezinho que vivia num planeta muito pequeno. Sem dúvida, um encontro de imaginação e de beleza ímpares.

O principezinho, depois de uma breve conversa inicial, pediu ao piloto que lhe desenhasse um carneiro. Apesar da hesitação, o piloto desenhou um carneiro que não agradou o menino, pois o animal parecia doente. Depois desenhou um carneiro com chifres, e o principezinho retrucou que carneiro não tinha chifres. Pela terceira vez o piloto desenhou outro carneiro, que também não agradou o menino, pois o carneiro era muito velho, e ele queria um que vivesse muito tempo. Finalmente, para poder voltar às suas atividades de consertar seu avião, o piloto desenhou uma caixa pequena com alguns buracos que serviam de respiradores e disse ao principezinho que o carneirinho estava lá dentro. O rosto do menino se iluminou olhando o desenho. Só ele podia ver o carneirinho, e até conseguia vê-lo dormindo e feliz. Só ele podia imaginar os cuidados que teria e como viveria com seu novo companheiro.

O principezinho deu-me a chave sobre o que não é imaginação e o que poderia ser. Intuí algo difícil de escrever sobre o que era imaginar, ou sobre uma imaginação que faz bem. E, porque isso que chamamos *imaginar* vive pequenino em nós, como o carneirinho imaginário na caixa de nossa vida,

---

[2] Antoine de Saint-Exupéry, *O Pequeno Príncipe*. Tradução de dom Marcos Barbosa. São Paulo: HarperCollins, 2018.

vive em nosso coração, como no do principezinho. Cada um tem sua caixinha contendo seu carneirinho de seu jeito. Uma imaginação de receita é quase a negação à imaginação.

Da mesma forma, se alguém imagina o nosso sonho em nosso lugar e impõe seu modelo de sonho como sendo o melhor, perdemos a beleza imaginária que nos habita, perdemos a capacidade de sonhar e apenas imitamos o sonho de outros, esquecendo até a nossa capacidade pessoal de sonhar. Ou, se alguém muito importante define previamente o nosso sonho, o nosso desejo, as nossas emoções, rouba de nós a capacidade de imaginar, de sentir desde as nossas entranhas a vida única que vivemos ou queremos viver. Roubar a imaginação de alguém, de um grupo ou de uma pessoa é crime contra a vida, embora não esteja em nenhum código jurídico penal de forma explícita. Entretanto, é o que mais a gente encontra na sociedade atual. Gente roubando a nossa capacidade de imaginar e impondo a sua como a melhor, ou até nos fazendo esquecer que somos constitutivamente também imaginação.

A imaginação é cada uma e cada um de nós, assim como o sentimento, o pensamento, a fala, a escuta, o amor. O mais grave nesse crime de roubo é que aquilo que nos propõem como imaginação, como ocupação viva de nossa caixinha imaginária – aquela caixinha como a do Pequeno Príncipe, que só ele vê o interior –, são coisas fabricadas, coisas para comprar, para ter, para ser igual a quem está nos oferecendo. Eles mantêm nossa imaginação e nosso desejo de melhorar na vida atrelados ao seu pensamento consumista, ao seu comércio e à sua vontade. Tornam a imaginação algo concreto, coisificado, comercializável, objeto de luxo ou lixo, para ser comprado e produzir pequenas satisfações instantâneas, perecíveis e ilusórias. Eles nos iludem pedindo que imaginemos coisas boas, mas ao mesmo tempo nos induzem a cair na armadilha das chamadas *coisas úteis* que nos oferecem.

Sem perceber, deixamos nossa capacidade de imaginar ser roubada e caímos em suas garras, porque até os dicionários nos instruíram sobre a imagem ser algo que não é real. Pensamos que o que nos é oferecido é real, e o imaginado, ilusão. Assim, nos iludimos achando que governos, igrejas, deuses, produtores tecnocratas e comerciantes de alto estilo nos oferecem algo real – a ser obedecido como proposta para o nosso futuro e sobretudo para o presente. Achamos que o real é só o material que nos oferecem ou as ordens que nos dão, ou o controle dos corpos segundo suas divindades.

Sem perceber fazemos da imaginação uma realidade mercantil, mercadoria fabricada e vendida por alguns e consumida por muitas e muitos. A imaginação abre o nosso real muitas vezes duro e opressivo para algo mais suportável, mesmo que vivido na subjetividade ou intersubjetividade. Imaginar nos leva a enxergar mil possibilidades de sair de situações difíceis. O sofrimento excessivo pode endurecer de tal forma as pessoas, que pode lhes roubar a capacidade de enfrentar a vida com um mínimo de criatividade. Por isso a imaginação nos socorre e nos faz até inventar principezinhos para conversar conosco; nos faz ver um carneirinho dentro de uma caixa, nos faz inventar jeitos de vencer os muitos limites físicos e emocionais que acometem nossa vida.

A imaginação nos diz que é possível criar outras formas de vida, que podemos tentar alternativas, ir além dos limites estabelecidos, crer nos imprevistos, ver nascer uma flor no asfalto. Durante muito tempo, nós mulheres não havíamos percebido que muitos tinham roubado nossa imaginação criativa. Tinham nos dado de presente um corpo de ovelha obediente que aceita as ordens de seus amos e vai obedecendo todas as regras, todos os mandamentos, como se esse fosse nosso único destino.

Lembrei-me agora de que o piloto do avião de Saint-Exupéry chegou a oferecer ao principezinho desenhar uma corda e uma estaca para amarrar seu carneirinho, de forma que ele não se perdesse. O Pequeno Príncipe recusou: "Amarrar meu carneirinho, que ideia mais estranha!" De fato, nosso carneirinho, a imaginação, anda sempre conosco, dá passos conosco, dança, canta em nós, nos acompanha, é em nós. E quando a amarramos a uma estaca e determinamos seus passos, ele fica triste, silencia e pode até morrer.

Sabemos bem que a sociedade de consumo nos amarra em estacas e cordas para acreditarmos que, se conseguimos consumir o que está sendo oferecido, estamos sendo livres e boas cidadãs. A boa cidadã para eles é a boa consumidora, e por isso nos incitam a fazer de tudo para comprar cada vez mais os novos produtos que oferecem. Eles nos confundem para descobrir qual é o melhor deles, e tentam nos convencer até que digamos amém às suas propostas. E quando deixamos de ser nós para ser o que eles querem que sejamos, nos dizem que agora, sim, somos autônomas e livres. É que agora entramos em suas caixinhas e podem nos manipular. Não será que nos tornamos autômatas?

Roubar nossa imaginação é não nos dar espaço para pensar a vida a partir de nós mesmas. É tornar-nos ovelhas tristes porque não conseguimos adquirir o que nos oferecem. É nos deixar comprar gato por lebre, como quando nos oferecem um carneiro com chifres para nos enganar. Ou vendem um produto perecido dizendo que ainda está bom. Ou querem nos fazer acreditar que vão dividir seus lucros no futuro e que, no momento, os sacrifícios são exigidos apenas para alcançarmos o triunfo final do desenvolvimento. Roubar nossa imaginação de mulheres é afirmar que nosso destino é sermos obedientes à nossa função de filhas, mães, esposas e súditas. É aceitar os papéis sociais como destino, a cor de nossa pele como superior ou inferior a outras, nossa raça como superior ou inferior a outras, nossa orientação sexual como superior ou inferior a outras. Roubar nossa imaginação é nos fazer esquecer que somos nós que temos que enxergar nosso carneirinho dormindo, alimentado e feliz, crescendo em seu ritmo próprio, do seu jeito, da sua cor, junto com outros parecidos com ele. Libertar-nos da estaca e da corda, das prisões em que nos colocamos e fomos colocadas.

Sair? Sair para onde? Qualquer saída de uma situação que nos incomoda precisa ser primeiro sentida como incômodo, como dor, sofrimento, carência, ou até como uma saudade indefinida, algo que muitas vezes não sabemos exatamente o que é. Sentir o peso dos dias, o peso das leis impostas, o controle dos corpos, a futilidade das conversas, a monotonia do *todo dia sempre igual*, porém sem o beijo da volta do amado ou amada, sem o prazer da sopa quentinha saboreada na amizade. Enfado sem afago, monotonia colada à realidade sem imaginação, buraco sempre aberto de novo em mim pelo capitalismo, que só perfura poços de desejos insaciáveis, de mentiras sobre mim mesma, e se vai.

A imaginação é a aposta que amanhã será outro dia, talvez melhor para nós. Imaginar é bater à porta das vizinhas, é dar as mãos, é buscar apoio em corpos como o nosso, e não nas estacas oferecidas pelos exploradores e ladrões de imaginação. Lembro-me de uma mulher que um dia chegou à minha casa e me disse que Deus a tinha visitado na semana anterior. Fiquei intrigada e até pensei que ela estava com algum sofrimento mental. Ela me contou que sua filhinha estava muito doente e não havia no posto de saúde o remédio de que ela precisava. Não tinha dinheiro para comprar o da farmácia. Em meio às lágrimas e à busca de saídas, uma vizinha passou por sua casa voltando do trabalho e, vendo sua aflição, lhe entregou todo o dinheiro que ganhara no dia como faxineira. Então, ela comprou o remédio e salvou a menina. Por isso imaginou que Deus a visitara. Deus, o inesperado que acontece quando nos damos as mãos. Deus, a vizinha amiga. Deus, crença na cura provisória que podemos oferecer umas às outras enquanto conseguimos respeito maior por nossa vida e o cuidado que nos é devido.

Imaginar convida-nos também a desimaginar. Desimaginar é tirar do pensamento as coisas terríveis tramadas que podem acontecer. É lutar de muitos jeitos para que não aconteçam. Isso porque, ao conhecer certos homens e certas mulheres, podemos ler nos seus atos uma imaginação cheia de perversidades e egoísmo. São capazes de imaginar cenas de guerra, de extermínio de animais, de destruição de florestas, pensando apenas no que imaginam que será seu lucro presente e futuro. Imaginam também que têm que obedecer a seu Deus, um Deus carrasco e legalista que proíbe que se salve a vida de meninas estupradas e engravidadas. Um Deus que adere a partidos políticos opressores e que aparentemente os sustenta. Aqui também a imaginação do terror divino como legitimação do terror histórico político cria pessoas fanáticas por proteger suas ideias e matar vidas, achando que as estão salvando.

Desimaginar é como dissuadir alguém de um ato pernicioso, convencê-lo da destruição que pode causar. O feminismo tem lutado muito por um processo de desimaginar o mundo patriarcal para imaginar um outro, que no fundo está também desenhado em nosso coração, mas que precisamos cultivar, regar, nutrir, partilhar e fazer com que seja bom para muitas e muitos. O feminismo tem lutado contra a violência naturalizada contra as mulheres, que se faz não apenas de forma direta, mas se faz através dos conteúdos culturais e religiosos que são divulgados entre nós. Tem lutado contra as imaginações perversas denunciando a violência das instituições políticas, sociais e religiosas, instituições de saúde e muitas outras que continuam mantendo suas concepções anacrônicas sobre a vida humana. Essas são formas necrófilas que vão matando a vida em vida. É contra essas mortes que o feminismo tem lutado, e não contra a morte que nos constitui, aquela da semente que morre e se transforma, ou da juventude que se transforma em idade adulta, ou dos tempos que morrem para fazer nascer outros.

Depois de criar formas de desimaginar as perversidades, há que continuar a imaginar e gravar na memória do corpo os belos encontros, as pequenas conquistas que nossa imaginação passada provocou como um incentivo para o presente e o futuro. Não podemos ficar paradas. Os sonhos do feminismo de ontem não são exatamente os mesmos de hoje, e os de hoje não serão os mesmos de amanhã. Por isso, até no feminismo temos que ajustar nossa imaginação, tirá-la das caixinhas em que às vezes guardamos as verdades a serem alcançadas, soltá-las das cordas e estacas que também inventamos, como se tivéssemos que chegar ao que havíamos determinado ontem. Hoje haveremos de chegar onde o hoje nos permite, onde os passos de nossa dança comum podem nos levar, onde as novas perguntas urgentes exijam respostas imediatas não previstas anteriormente.

É preciso proteger com muito cuidado a chama que nos habita, para que não se apague por falta de óleo novo e não seja apagada pelos que invejam e temem a força de sua luz. É nessa linha que a juventude de 1968 na França e em diversos países afirmava a necessidade da *imaginação no poder*. Indicavam com essa expressão a absoluta necessidade de uma nova ordem social, política e cultural voltada à igualdade de direitos. É desse desejo de igualdade e contra o mofo das políticas conservadoras, contra a ordem hierárquica patriarcal e opressora que eclodiram os feminismos, os movimentos ambientais, os movimentos antirracistas, antixenófobos e muitos outros. A afirmação do poder dado à imaginação que não suporta os mofos da História é a afirmação da necessidade de criar possibilidades novas de organização coletiva. Um novo fazer cultural e político estava sendo gestado naquela época e não podia mais ser contido pelas forças de dominação que militares, civis e religiosos sustentados pelo capitalismo desenvolvimentista mantinham havia décadas.

Diante da novidade, a repressão militar veio forte para os que davam poder à imaginação. Criamos de diferentes maneiras novos caminhos. Porém também gememos e sofremos nos muitos calabouços organizados para nos tirar a vida. Muitas e muitos morreram, outros desapareceram, e poucos criminosos foram julgados e condenados. Hoje, cinquenta anos depois, estamos sendo assolados e assoladas por novos conservadorismos. E mais uma vez pedimos à imaginação que assuma o poder e que nos inspire a criar novas relações e novas políticas sociais que favoreçam o respeito à vida das mulheres e de todas as vidas que existem neste momento único. Estamos imaginando mundos onde o sonho é transformar a produção de armas em produção de alimentos, em casas, em água limpa em todos os lares, em respeito à dignidade comum. Sonho simples e difícil ao mesmo tempo. Viver a vida, a única que temos, sem as etiquetas do passado, que limitavam direitos e responsabilidades. Soltarmo-nos das velhas estacas e cordas para deixar fluir a vida e reconhecer nossas capacidades múltiplas de imaginar um mundo melhor para o nosso presente. Vivas à nossa imaginação!

A IMAGINAÇÃO
NOS DIZ QUE
É POSSÍVEL
CRIAR OUTRAS
FORMAS DE
VIDA NA VIDA.

APROXIMAR
APROXIMAR

DEBORA DINIZ

Não nasci feminista. Posso encontrar traços rebeldes ao patriarcado na casa em que cresci e fui adorada, mas também obediências que custei a estranhar. Cresci entre bonecas, e a maternidade parecia um destino, não uma escolha. Sequer imaginava prazeres fora da heterossexualidade hegemônica. Como me aproximei do feminismo?

A pergunta me provoca a contar fábulas sobre mim mesma, como se houvesse uma origem profética na clarividência ao feminismo. Foi bem menos original e disruptivo; é ainda um longo processo de estranhamento do patriarcado e de suas tramas capacitistas, classistas, homofóbicas, racistas e transfóbicas em mim. Eu não frequentei escolas feministas, mas aulas de catequismo; não tive aulas na universidade sobre teoria feminista, só a chatice de formação moral e cívica em que se enaltecia o milagre econômico da ditadura militar.

Como a muitas mulheres de minha geração, *feminismo* parecia palavra exagerada, ainda mais para quem queria ser aceita na vida acadêmica. Eu seria uma pesquisadora de *estudos de gênero*. Mulheres de corpos atípicos, mulheres negras, mulheres-meninos, mulheres indígenas, essa nossa variedade em formas de ser seriam variáveis de pesquisa. Assim comecei, e já parcialmente surda, escrevendo textos no masculino ou no indeterminado universal do pensamento acadêmico.[1] Nem sei como nascia uma feminista.

Se não há um mito cosmogônico a ser replicado por outras no percurso de aproximação ao feminismo, há feridas deixadas pelo patriarcado. Descrevo como feridas o que Pierre Bourdieu nomeou como acontecimentos biográficos em uma trajetória de vida.[2] Assim imagino a pedagogia feminista em nós: acontecimentos e deslocamentos contínuos e cada vez mais doídos de estranhamento sobre quem somos pela naturalização do patriarcado em nossa vida. A aproximação feminista exige estranhamento, uma técnica etnográfica de pôr-se a si mesma em dúvida sobre as regras da vida. Como estranhamos normas, crenças ou práticas naturalizadas em nós? Os grupos de consciência feministas são uma dessas formas – a escuta e a interpelação mútua têm o poder de nos deslocar do conforto da normalidade oferecida pelo patriarcado. Por que o desejo da maternidade? Por que a perseguição às mulheres que fazem aborto? Por que o estigma às

---

[1] Uso o *parcialmente surda* como uma classificação biomédica de meu corpo. Politicamente sou uma mulher surda.

[2] Pierre Bourdieu, "A ilusão biográfica". In: *Usos e abusos da história oral*. Organização de Marieta de Moraes Ferreira e Janaína Amado. Tradução de Luiz Alberto Monjardim, Maria Lucia Leão Velloso de Magalhães e Maria Izabel Penna Buarque de Almeida. 8ª ed. Rio de Janeiro: Editora FGV, 2006.

sexualidades e aos gêneros diversos? Encontrei muitas das respostas em livros, mas somente quando vivenciei as punições do patriarcado em mim mesma ou como testemunha da dor das outras é que entendi melhor o que estava nos livros.

O estranhamento faz sofrer, pois nos desloca da normalidade da vida. Ser comum é estar sob a vigilância normalizadora – é ser agraciada por ser uma mulher típica, no corpo e nas formas de apresentação de si mesma. Há falsidade nessa promessa, pois o patriarcado não protege, mas controla os corpos sob seu domínio – com práticas disciplinadoras que, muitas vezes, envolvem a violência. Exercitar o estranhamento é duvidar de palavras entranhadas como regras da vida, como senso comum, tradição ou natureza. Não há estranhamento sem deslocamento de quem somos, e nesse trajeto de transformações desfazemos pedacinhos de nós. A teoria, a prática e a vivência feministas nos fazem seres estranhos ao patriarcado. Por isso, os patriarcas ridicularizam nosso corpo, nosso jeito de falar ou amar.

Traçar eventos de origem sobre aproximação ao feminismo é como contar uma história retrospectiva de mim mesma. Se assim faço, é menos por crer nas origens, em consistência ou coerência de uma trajetória, e mais para mostrar como são eventos triviais na vida de cada uma de nós como sobreviventes no patriarcado. Eu era uma jovem professora, cofundadora de uma organização dedicada à pesquisa em gênero, direitos humanos e bioética, Anis. Recém-titulada pelas formalidades das universidades, já naquele momento não me percebia como uma especialista em alguma coisa. Diziam-me que esse desejo de ser especialista em coisa nenhuma era porque eu seria uma intelectual pública. Saí à procura de intelectuais públicos, e eram quase todos homens. Ofereci-me a mim mesma o título de *amadora engajada*: alguém que transitaria entre os saberes, sem a profundidade dos especialistas ou o temor das especializações, mas com alguma sensibilidade para juntar peças esparsas para o engajamento público.[3] Eu era uma aprendiz de professora de ética em pesquisa na Universidade Católica de Brasília.

O tema do aborto por malformação fetal, em particular em caso de anencefalia, era uma necessidade de vida das mulheres, já estava nas cortes e nos consultórios médicos. Em 2000, quando fui contratada pela universidade, não era segredo minha atuação na Anis, tampouco meu trabalho de campo em um ambulatório de malformação fetal. Eu só não era publicamente uma feminista, mas uma amadora engajada em questões de gênero. A pesquisa de campo se metamorfoseou em uma ação judicial à Suprema Corte, e eu me desloquei de antropóloga a *antropóloga feminista* ou *antropóloga abortista*.[4] Fui demitida da universidade em 2002, mas antes fui transferida da área de ética em pesquisa para métodos de pesquisa, numa tentativa de me silenciar sobre temas controversos.

---

[3] *Amadora* é como Edward Said imagina ser a aparição de uma intelectual na cena pública: pessoas que se movem pelo cuidado e pelo afeto, recusando o "olhar estreito da especialização" (Edward Said, "Profissionais e amadores". In: *Representações do intelectual*. São Paulo: Companhia das Letras, 2005. pp. 71-88). Em prefácio ao livro de Rosana Pinheiro-Machado, assim também a descrevi: *amadora engajada* (Rosana Pinheiro-Machado, *Amanhã vai ser maior*. São Paulo: Planeta do Brasil, 2019).

[4] *Abortista* é palavra ofensiva de grupos fanáticos. Em 2005, por ação judicial que alcançou o Supremo Tribunal Federal, garanti o direito de não ser assim denominada por um representante religioso da Igreja católica.

Jovem e desempregada, me vi envolvida em um litígio estratégico que tomaria a próxima década de minha vida, pois a ação sobre descriminalização do aborto em caso de anencefalia somente seria julgada em 2012. Passei a ser interpelada publicamente sobre se minha aproximação ao feminismo me incapacitaria à pesquisa neutra ou à docência imparcial. Se ignoro as aspas para citar essas falsidades da ciência – a neutralidade e a imparcialidade –, é porque são crenças ainda vigorosas para sustentar a impossível prática acadêmica sem o vivido. Algo como se o sujeito pensante ocupasse o espaço impossível do *olho de Deus*, estando acima de preferências ou afetos, crenças ou biografias.[5] Se precisei de anos de reflexão e escrita para estranhar pedacinhos dessa história, fiz antes o giro do poder que interpela o sujeito, tal como descrito por Louis Althusser: a interpelação "feminista!", ao invés de gerar a intimidação patriarcal, foi uma das gêneses da aproximação feminista em mim.[6] Fiz do movimento interpelador um movimento de descoberta.

---

[5] Sobre as armadilhas do patriarcado no pensamento conceitual, o artigo de quase quarenta anos de Sandra Harding é inspirador. Sandra Harding, "A instabilidade das categorias analíticas na teoria feminista". Tradução de Vera Pereira. *Estudos Feministas*. Florianópolis, n. 1, 1993, pp. 7-31. Disponível em: <www.periodicos.ufsc.br/index.php/ref/article/view/15984/14483>. Acesso em: 29 dez. 2021. Sobre o privilégio de pensar a partir de um lugar, veja Donna Haraway, "Saberes localizados: a questão da ciência para o feminismo e o privilégio da perspectiva parcial". *Cadernos Pagu*, Campinas, n. 5, 1995, pp. 7-41. Disponível em: <www.periodicos.sbu.unicamp.br/ojs/index.php/cadpagu/article/view/1773/1828>. Acesso em: 29 dez. 2021.

[6] A interpelação busca nos assujeitar de determinadas maneiras: ao sermos interpeladas, nos assujeitamos e nos reconhecemos mutuamente. No entanto, a cada nova interpelação há espaço para dúvida sobre a naturalidade do processo de assujeitamento. Esse foi um exemplo em que a interpelação patriarcal que intentava me devolver ao "sempre-já" de sua reprodução abriu espaço para a recriação (Louis Althusser, "A ideologia interpela os indivíduos enquanto sujeitos". In: *Aparelhos ideológicos de Estado*. Tradução de Walter José Evangelista e Maria Laura Viveiros de Castro. Rio de Janeiro: Graal, 2009).

Há várias formas de se aproximar do feminismo. As novas gerações parecem não viver a intimidação pela autonomeação feminista como no passado, muito embora a palavra *feminista* seja ainda usada como expressão acusatória por quem não suporta a crítica ao patriarcado. A brutalidade de *feminazi* é um desses exemplos – uma desfaçatez de palavras, em que a pessoa que se define como feminista seria alguém abjeta. Se as identificações se suavizaram com o reconhecimento das conquistas do feminismo para a vida das mulheres no plural, arrisco dizer que o estranhamento para que cada uma se aproxime do feminismo é parecido: é preciso sentir a punição no próprio corpo e ser testemunha da fúria em outras mulheres para distanciar-se de suas raízes.

É certo que a aproximação feminista traz alegrias da descoberta sobre outras formas de viver sob o patriarcado – é uma prática de liberdade, ou ao menos de libertação. Se há uma alegoria para as cenas originais de cada uma de nós na aproximação feminista, é a imagem da saída do armário, cuja tranca é o patriarcado. O processo é lento, muitas vezes doído e solitário, e com castigos e punições. Assim entendo por que poucas mães se sentem confortáveis em educar seus filhos no feminismo: o patriarcado está na escola, na igreja ou no templo, na família e na vizinhança. O corpo das mulheres é matéria de controle não só na reprodução biológica, com a criminalização do aborto, mas também na forma como se organizam as instituições dedicadas à reprodução social da vida.[7]

---

[7] Tithi Bhattacharya é uma das principais autoras da teoria da reprodução social. Sua tese, e de outras marxistas feministas, é que o capitalismo "é um sistema unitário que pode integrar com êxito, ainda que desigualmente, a esfera da reprodução e a esfera da produção", ou seja, a do trabalho remunerado e precarizado das mulheres, como empregada doméstica e como cuidadora de suas próprias re-

Não depende de uma única mulher transformar um regime de poder insidioso por meio da educação de seus filhos em casa, um espaço naturalizado como de atualização do patriarcado.

Como o patriarcado se reinventa permanentemente, nossos deslocamentos feministas também precisam ser permanentes e cada vez mais criativos. A questão da anencefalia não foi vivida por mim: jamais engravidei de um feto com malformação ou mesmo fiz um aborto. Eu era uma testemunha das dores de outras mulheres, muitas delas mais típicas que eu à norma patriarcal, mas que viviam um episódio de estranhamento íntimo: desejavam a maternidade, ou ao menos já se apresentavam socialmente como futuras mães, porém acreditavam que o aborto era a melhor decisão para sua vida naquele momento. Eram mulheres de fé que se inquietavam com o estigma do aborto contra elas, sentiam-se abandonadas pelo patriarcado que ignorava suas dores sobre o mito de que *ser mãe é padecer no paraíso*. Elas queriam abortar, e percorriam as cortes em busca da proteção da lei.

Com elas, saí à procura de formas de falar sobre essa dor tão particular sem que o feminismo civilizatório que me antecedia colonizasse suas vivências. Elas não falavam em *meu corpo me pertence* ou mesmo em *direito ao aborto*, elas viviam a intersecção de múltiplas opressões no instante da decisão pelo aborto e falavam da dor com seu próprio vocabulário

---

lações de dependência na esfera doméstica (Tithi Bhattacharya, "O que é a teoria da reprodução social?". Tradução de Maíra Mee Silva. Revisão técnica de Mariana Luppi. *Outubro Revista*, n. 32, 1º sem. 2019, p. 103. Disponível em: <www.outubrorevista.com.br/wp-content/uploads/2019/09/04_Bhattacharya.pdf>. Acesso em: 29 dez. 2021).

existencial.[8] Elas diziam: "Eu quero acabar com isso", "Quero antecipar o parto", "Quero tirar".[9] Nem a medicina nem o direito reconheciam essas expressões como ciência dos corpos ou das leis. A ação judicial de anencefalia ao Supremo Tribunal Federal (STF) falou de "antecipação terapêutica do parto" (ATP), uma criação das mulheres para falar de suas próprias dores, da ferida vivida: elas estranhavam o vocabulário patriarcal sobre seu corpo.[10] Suas palavras foram descritas como eufemismo por quem as escutava, como se quisessem ludibriar as leis penais cruéis. Era mais simples, e também muito ousado, falar do acalento para suas dores como "ATP". Elas reinventavam as palavras para falar do que só elas viviam e que o léxico patriarcal não reconhecia.

Se precisei me deslocar do patriarcado para ser uma escutadeira dessas mulheres, também precisei me deslocar do modo como o patriarcado confundia o feminismo de corpos típicos ao questionar se o aborto em caso de anencefalia seria uma prática eugênica. Costumo ouvir: se somos feministas, por que não educamos nossos filhos livres do machismo? A pergunta é uma armadilha, devolve às mulheres

---

[8] "Chamo esse feminismo de *civilizatório* porque ele adotou e adaptou os objetivos da missão civilizatória colonial, oferecendo ao neoliberalismo e ao imperialismo uma política de direitos das mulheres que serve aos seus interesses" [itálico no original]. (Françoise Vergès, *Um feminismo decolonial*. Tradução de Jamille Pinheiro Dias e Raquel Camargo. São Paulo: Ubu: 2020. p. 17.)

[9] Rita Segato descreve esse atuar, em uma posição de pesquisadora ou acadêmica, com as pessoas cujos direitos são violados – e, no meu caso, como feminista – como *antropologia por demanda* (Rita Segato, *Contra-pedagogías de la crueldad*. 4ª ed. Buenos Aires: Prometeo Libros, 2018).

[10] A expressão foi utilizada pelo Ministério Público do Distrito Federal e Territórios em despachos sobre casos concretos antes de ser incorporada na ação de anencefalia do STF.

a responsabilização pela subversão de um regime que as pune com violência. Semelhante ardil estava no falso debate sobre se haveria eugenia no aborto em casos de anencefalia no feto: crimes terríveis do patriarcado bélico, racista e imperialista, como a matança de pessoas com deficiência, se voltavam contra um punhado de mulheres que buscavam as cortes. E, tristemente, a pergunta era reproduzida pelas feministas civilizatórias. Essas mulheres em intenso sofrimento seriam eugenistas por interromper *aquela gestação*? A pergunta inquietou o feminismo civilizatório a tal ponto que mulheres com e sem deficiência passaram a escrever sobre a "hipótese expressivista do aborto em casos de malformação fetal", isto é, abortos de fetos com malformação seriam "mensagens discriminatórias às pessoas com deficiência", diziam algumas delas.[11]

Preciso dizer que a crueldade da interpelação eugênica tocou todas nós – a elas que viviam a tortura da punição penal e a mim como testemunha de suas vivências. Aproximei-me das feministas atípicas, escrevi livros e traduzi autoras, inclusive de cujas teses eu discordava. Se a interpelação poderia ser injusta pela crueldade que carregava, havia uma porta aberta a novos descolamentos de aproximação feminista a outras fronteiras de grupos marcados pelo patriarcado. Conheci o

---

[11] Adrienne Asch foi uma ativista feminista do movimento de pessoas com deficiência. Escreveu um artigo em que anuncia a hipótese expressivista do direito ao aborto em caso de malformação fetal. Traduzi o artigo como forma de ampliar o debate no Brasil e, particularmente, por considerar que o argumento apresenta uma armadilha contra as mulheres (Debora Diniz, "Diagnóstico pré-natal e aborto seletivo". *Physis: Revista de Saúde Coletiva*, Rio de Janeiro, 13(2), 2002, pp. 9-11. Disponível em: <www.scielo.br/j/physis/a/FWfNYpbYsK89HTyJssnwLDP/?lang=pt>. Acesso em: 29 dez. 2021). A hipótese expressivista é de fácil apelo emotivo e foi recuperada no debate público brasileiro na epidemia de zika.

feminismo das mulheres atípicas, aprendi como o patriarcado se atualizava nos corpos que eu ignorava ser também o meu: o capacitismo, assim como a misoginia e o racismo, é uma forma de discriminação e opressão pela abjeção dos corpos. São práticas sistêmicas de despossessão que nos fragmentam como se fôssemos corpos monolíticos: ou mulheres, ou trans, ou típicas, ou atípicas, ou negras, ou isso ou aquilo, e não o que somos em permanente mutação – uma encruzilhada de matérias, biografias, privilégios e opressões marcadas pela colonialidade do gênero.[12] Eu ainda não conhecia a valência da interseccionalidade e da decolonialidade para o feminismo; foi preciso que eu fizesse outro deslocamento para o feminismo negro e decolonial para que um novo estranhamento do patriarcado se operasse e eu me aproximasse do que ainda desimaginava.

---

[12] *Encruzilhada* é o deslocamento interpretativo do conceito de interseccionalidade, tal como proposto por Carla Akotirene, *Interseccionalidade*. São Paulo: Sueli Carneiro; Pólen, 2019.

IVONE
GEBARA

Aproximar, aproximação, tornar-se próxima parecem palavras mais ou menos proibitivas em tempos de pandemia de covid-19, nos quais a aproximação virtual, distante dos corpos reais, dos cheiros, dos abraços, das emoções diretas, se torna corrente. Porém, embora reconheçamos as ajudas e as dificuldades crescentes desse tipo de aproximação, somos convidadas a pensar no verbo *aproximar* e no substantivo *aproximação* de forma não virtual, em vista de uma esperança histórica feminista assim como da esperança maior, que é a aproximação de um bem que busque respeitar todos os seres. Haveria uma aproximação específica que pudesse marcar uma novidade da experiência feminista na atualidade? Creio que sim. Na medida em que tentamos superar as diferentes formas de distanciamento de nós mesmas, de nossas convicções, sair dos estereótipos que nos foram impostos pela sociedade patriarcal, estamos nos tornando próximas de nós mesmas, compreendendo melhor o território que somos, deixando aparecer outras maneiras de ser no mundo. Saímos das generalidades e entramos nas especificidades que antes se expressavam raramente.

Do meu pequeno mundo, penso que este verbo tem uma dimensão ética que foi se impondo ao longo de diferentes tradições filosóficas, religiosas e de sabedorias milenares. Para mim, essas tradições se mostraram de forma especial na tradição ética cristã. Aproximar-me, tornar-me próxima, aproximar pessoas, causas e coisas de minha pessoa, e eu delas, indicam um movimento interno e externo de meu/nosso eu. Nessa linha também há que pensar no *distanciar-se* como uma capacidade quase correspondente ao *aproximar-se*. Se me aproximo, me distancio também, como num passo de dança.

Nós nos distanciamos de forma a sentir, olhar e respirar mais profundamente – e para nos aproximar de novo, com o propósito de ouvir, abraçar e acariciar. As perguntas: *quem é o meu próximo?*, *de quem me torno próxima?* e *de quem me aproximo?* são inevitáveis. Ou ainda: *quem se aproxima de mim, e para quê?* Ambas as posturas nos convidam à reflexão e apreensão das *emoções* que nos habitam frente a essa proximidade. Falo de emoções porque cada vez mais acredito que elas não só movem o conhecimento do mundo e de nós mesmas, mas também nos impulsionam na aproximação e no distanciamento dos outros e outras. Também marcam políticas, economias, ciências e religiões.

A tradição ética judaica e cristã afirma um princípio ético de aproximação que fez um longo caminho histórico em muitas partes do mundo até os dias de hoje: "Amar o próximo como a si mesmo." Uma afirmação, uma ordem, um princípio, um critério difícil de ser compreendido e sobretudo vivido. Nessa expressão marcada pela proximidade, há ao menos dois sujeitos que se encontram, ou talvez se enfrentem, e possam até se excluir. O *próximo* e o *si mesmo*, o *tu* e o *eu*, ambos marcados por suas histórias pessoais e seus limites. Ambos marcados por suas razões e sem-razões inconfessáveis. Por seu medo um do outro – e para além do outro. Pela não transparência e até impermeabilidade de conhecimento e desconhecimento recíprocos, embora nem sempre admitidas. É mais fácil usar o genérico próximo do que nomear o rosto de quem nos tornamos próximas, de quem de fato e de direito nos aproximamos ou nos afastamos, ou ainda dos que encontramos nos imprevistos da vida. É mais fácil falar do genérico *próximo*, do genérico *antirracismo*, do genérico *anti-homofobia*, do genérico *a favor da justiça de gênero* sem nos encontrarmos com os rostos reais. O genérico nos permite ocultar-nos por dentro e mostrar uma cara pública conforme a norma social da ética das aparências. O genérico nos permite discursos até comoventes, mas é bem pouco eficaz no sustento da vida. Para sermos eficientes em nossas causas é necessário sermos mais específicas, mais próximas. É preciso nos aproximarmos.

Como entender algo dessa problemática relação de aproximação? Que contradições encerra? Pensando positivamente, o sujeito que se aproxima do outro ou outra pode parecer até para si mesmo como justo ou obediente a uma lei ética maior. Ao mesmo tempo, a outra ou o outro aproximado pode parecer eticamente apenas como o necessitado. É o *justo* que acredita estar denunciando a injustiça, enquanto a injustiçada ou o injustiçado aparece quase sempre como a vítima de forças muitas vezes cegas e incontroláveis. É o *justo* que aparece amando o *próximo*, apontando para a vítima sofredora, a vítima de mil e uma dificuldades, que aparece como a que deve ser amada ou ajudada.

A vítima, em geral, não tem rosto próprio, dissolve-se no conceito que se constrói sobre ela, quase não fala, porque falam por ela. Não tem história, porque contam algo em seu lugar. Torna-se *objeto* de ajuda pública, de instituições de caridade, de centros de pesquisa. A relação entre o *justo* e a *vítima* é, portanto, marcada pela *desproporção* de vivências e de situações; desproporção nos comportamentos e nas possibilidades de uma vida melhor. Talvez o primeiro gesto ético de aproximação do outro que é diferente de mim seja abandonar o qualitativo *vítima*, assim como deixar de lado uma consideração limitada sobre sua história a partir do qualificativo *vítima*. Na medida em que esta possa significar a intensificação da diminuição do ser em situação de sofrimento, essas formas de identificação denunciam os limites de nossas teorias. O *justo* que socorre e a *vítima* de injustiça – um binômio que parece se opor, que afirma distâncias enormes – convidam ao pensamento sobretudo no desdobramento atual do mundo patriarcal. Na verdade, uns e outros – e outras – não somos transparentes para nós mesmos e dificilmente podemos sair do horizonte das simpatias pelos que consideramos vítimas ou das causas ligadas a eles. É difícil nos posicionarmos, cada uma com propriedade para falar a partir do seu limitado lugar, porque estamos vivendo processos de individuação, cheios de artifícios, de razões e crenças.

E por que devo ajudar o outro ou a outra? Por que devo amá--lo como me amo, ou por que odiá-lo como talvez odeie a mim mesma? Para além da beleza ética que esses princípios expressam, há que se abrir delicadamente alguns de seus múltiplos significados para fazer aparecer as dificuldades práticas e experienciais, e as contradições que elas encerram. Há que macular sua beleza com perguntas críticas que nos farão talvez avançar para tornar esses princípios mais nossos, mais misturados à nossa própria mistura, mais verdadeiros, mais coletivos e renováveis. Há que tirar desses princípios os sentidos aparentemente consagrados, podando-os, como se faz com as plantas, para deixá-los crescer com mais vigor e verdade. Isso também significa cortar os excessos do esquecimento de nós mesmas, do abandono de nosso próprio corpo, que nos fazem entregarmo-nos aos outros e existir só para os outros. Essa é uma das ilusões que os sistemas religiosos impuseram particularmente às mulheres, para que mantivessem a coroa da falsa glória de esquecer-se de si mesma. Podar os sentidos dados pelo senso comum significa também fazer cessar ou diminuir o sentimento de posse que muitas vezes temos quando queremos amar os outros impondo-lhes nossos programas ou nossa ordem interior, considerados sempre os melhores. Significa também acolher o florescimento do outro ou da outra de forma diferente daquela que esperávamos e descobrir que a aproximação é um encontro e uma sintonia de liberdades.

Nessas e em outras dificuldades, é preciso reafirmar que abrir um verbo ou um substantivo não é apenas verificar-lhe a etimologia, a semântica geral, as concordâncias, mas examinar sua performatividade variada nas relações humanas. Sobretudo quando alguns verbos aparecem como exigências comportamentais que nos impomos em vista de uma convivência diária coletiva mais igualitária. Qual é a ação aproximativa de uns e outros? Por que a praticamos? A que corresponde em nossa interioridade ou subjetividade? Temos muitos jeitos de nos aproximar de uma causa, de alguém ou de viver em recíproca proximidade. Aproximar-me de um amigo com o qual há reciprocidade nas relações não é um grande problema ou dificuldade. A reciprocidade aqui não é uma questão, porque existe quase espontaneamente e me faz renunciar naturalmente a muitos benefícios em favor dele ou de um parente.

O problema passa a existir quando me aproximo de alguém estranho ao meu cotidiano, alguém vivendo na rua, um usuário de drogas, alguém de uma raça diferente, de uma classe social distinta, de orientação sexual diferente, de um partido político oposto ao meu, de outra religião, de comportamentos e costumes diferentes dos meus. O problema é quando *o próximo* que vejo ou do qual descubro a presença me intranquiliza, me atrapalha, me molesta, me tira da pacífica relação de reciprocidade com alguém. O problema é quando temo o outro, suas ameaças, seu ódio e suas intransigências. O problema é quando o próximo, o outro, a outra se tornam intrusos e capazes de cortar a minha respiração, de diminuir o meu prazer, de agredir minhas emoções, de me incomodar com sua presença física, com seu jeito, seu odor e até com sua invasão, às vezes tremenda, em meus pensamentos. Atormenta meu sono e meus sonhos, como se fosse um agulhão em minha carne, como um pesadelo reincidente. Invade meu corpo, meu repouso, meu prazer, meu cotidiano.

Até onde vão os limites de minha aproximação? De que próximos ouso me aproximar? E até onde me aproximo deles? Quando o próximo me incomoda, tenho que fazer algo. Posso tentar esquecê-lo, posso não olhá-lo, posso jogar-lhe uma esmola e partir escondendo-me em mim mesma e não querendo que me invada de novo. Quando *o próximo* me atordoa com seus gritos de ajuda, quando me invade com sua presença, com sua aparição incômoda nas ruas de meu bairro e me cerca de pedidos, tenho que fazer algo. E quando o próximo é aquele que politicamente me agride, me fere, me mata, como me aproximar? As feministas de hoje não param de gritar por seus direitos enquanto armas as ameaçam, tentando calá-las. O barulho pode ser ensurdecedor, e seu ódio a essas armas pode ser transformado em amor à vida, dando às mulheres combustível para continuar a luta. O ódio se transforma em combustível para o amor. Estranha aproximação: do ódio ao amor. Estranha fonte de amor? O que é mesmo o amor ao próximo? Como afirmá-lo no concreto da vida?

Há muitos jeitos de se aproximar. Lembro-me de muitos homens jovens que eram *aproximados* por intermediários para vender sua força de trabalho como cortadores de cana-de-açúcar. Iam em bando para uma jornada inteira, muitas vezes sem comida. Frequentemente voltavam para casa apenas com a promessa de pagamento, que, era comum, terminava sendo apenas promessa. É quando aproximação implica dominar o outro, explorá-lo, comer sua força de trabalho, seu corpo e não permitir que coma seu pão com dignidade. Aproximar-se para laçar, prender, amarrar, violar e gargalhar em festins regados a vinho e caviar, celebrando a presa conquistada, a fera ferida debaixo de meu teto e de meus pés.

Lembro-me das escravizadas e dos escravizados, que eram *aproximados* por grandes senhores que lhes verificavam o corpo, a boca, os dentes, os genitais, para comprarem-nos para suas fazendas de café ou cana-de-açúcar. Da mesma forma, homens e mulheres bem-apessoados se *aproximam* de meninas e mocinhas, prometendo trabalho como babá, copeira ou mesmo como artistas no exterior. E quando conseguem seduzi-las, vendo-as como *bela mercadoria*, as enviam para servir em prostíbulos elegantes de cidades europeias. É a aproximação para explorar, usar, rebaixar a humanidade de uma pessoa e até matá-la. É a aproximação fundada na sujeição do espírito por quem se julga superior.

Podemos afirmar sem medo de engano que a noção de *aproximação* perdeu muito de sua beleza, de seu inocente idealismo, de sua promessa de melhoria de vida, de sua esperança em oferecer dias melhores para muitas de nós. A aproximação precisa ser pensada como múltipla e variada. A aproximação para se apossar, exterminar, destruir, guerrear, incendiar, menosprezar serviu e serve apenas para manter os privilégios de outras pessoas. Essa tem sido especialmente a tragédia do chamado *progresso* do século XX e do século XXI, que tem consequências sobre os corpos que o poder afirma não contar, não valer por si mesmos.

Porém, uma revolução de sentidos começa a se operar em nosso meio. As feministas têm apostado cada dia mais, e de muitas formas, na dimensão coletiva e política das aproximações. Têm uma conjugação plural do verbo *aproximar*, em vista de estabelecer relações de justiça e dignidade para homens e mulheres; estabelecer relações renováveis. Sim, porque os homens, atores principais das aproximações negativas, são convidados a se afastar do seu lugar consagrado, a reeducar seu corpo e sua mente, para sair das aproximações mercantilistas e antidemocráticas, que ainda são as mais frequentes.

Esse lugar consagrado tem relação com o papel de interventores que querem ocupar na vida das mulheres e o de cruéis guardiões da masculinidade, miticamente considerada superior. Esses homens têm que se abrir a novas configurações sociais e a novos destinos históricos.

Talvez essa seja uma aproximação utópica. Porém, há que buscar nos aproximarmos, as mulheres, umas das outras, carregar em conjunto nossas cruzes e nossas rosas, nosso pão e nosso vinho, enquanto os companheiros não se derem conta da absoluta e necessária mudança que têm que operar em sua vida e no tratamento que mantêm nas instituições sob seu poder. Somos todas e todos convidados a reavaliar nosso modo de vida, nossa cultura, as hierarquias de gênero e de raça, assim como nossa cumplicidade em fazer um chamado a um gênero em detrimento de outro. Ninguém pode se eximir dessa responsabilidade comum.

Nessa linha, igualmente temos que nos *aproximar das tradições religiosas*. Elas evoluem conosco, caminham conosco. Recebemos algo delas e perdemos outro tanto. Ao lê-las com nossos olhos e ouvi-las com nossos ouvidos, compreendemos algo delas, as transformamos, as tornamos nossas segundo nossa vida de hoje. As modificações são inevitáveis, e, por isso, nós, mulheres, podemos conversar com as tradições religiosas que recebemos. Não é mais preciso as considerarmos blocos de pedras imutáveis ou leis universais sobre nosso corpo. Aproximamo-nos delas como quem conversa com alguém, como quem quer descobrir se uma velha palavra escrita ou uma tradição oral pode de fato nos ajudar a avançar no caminho do bem de nosso corpo individual e coletivo. É isso que chamamos de hermenêutica feminista dos textos religiosos. Uma arte interpretativa, autoimplicativa, aproximativa de histórias velhas, como se fossem nossas histórias de hoje. Uma hermenêutica de mulheres com base da qual somos convidadas a nos aproximar. Isso é apenas uma face, mas há muito mais a descobrir sobre o verbo *aproximar* e as urgentes aproximações que precisamos viver para sermos amorosamente mais próximos uns dos outros e das outras.

> AS FEMINISTAS TÊM APOSTADO [...] NA DIMENSÃO COLETIVA E POLÍTICA DAS APROXIMAÇÕES.

ACALENTAR

DEBORA DINIZ

Quero pensar o verbo no sentido pronominal da conjugação, *acalentar-se*. Soa incomum pronunciar "Eu me acalento", quase um uso indevido do verbo posto em prática para os outros. Desgosto da primeira pessoa para pensar o mundo, porém com este verbo será diferente. O acalento de si é um ato político feminista, uma fratura da pedagogia do cuidado dos outros para cuidar de si mesma. Acalentar-se é expandir a pedagogia do cuidado. Só cuidamos para a liberdade se antes acalentadas.

Há o acalento do recém-nascido. A cena nunca vivida por mim, mas por tantas mulheres, acontece à beira do berço à noite. Imagino a mãe inquieta e exausta com o choro incompreendido da sua criança. Quando penso o acalento, não há outra cena tão amorosa e solitária quanto a da jovem mãe com seu bebê. Há verbos que se conjugam em par ao do acalento dessa mãe, como *nutrir* ou *embalar*. O acalento de uma mãe nina o bebê. A maternidade é um permanente estado de acalento, não importa se o bebê do berço já é gente adulta. Se a maternidade é assim tão alargada na vida das mulheres, a pedagogia do cuidado necessita ser iniciada precocemente na vida das meninas. A cena do berço é simulada pela menina ainda miudinha quando brinca com suas bonecas.

Não desdenho das bonecas no mundo infantil. Brincar é imaginar mundos e possibilidades, é expandir a criação. Brinquei de bonecas, as acalentei e ninei. Tive até mesmo um berço que as balançava, como se acalmasse uma neném em choramingo. O berço era sólido, construído de madeira escura, ou assim o guardei na memória. Cantei músicas só nossas, inventadas por mim e para elas. Nomeei cada boneca e delas cuidava como alguém preciosa. Se a brincadeira era inocente na imaginação de uma menina e seu mundo singular, ou criativa para expandir a escuta de uma mulher adulta, era também uma atualização do mandato de maternidade às meninas. Ao acalentar bonecas, atualizava-se em mim a pedagogia do cuidado segundo as normas do patriarcado: a maternidade como um destino, a reprodução biológica como ordem natural dos corpos sexados como fêmeas-meninas, o acalento como cuidado do outro e não de si mesma.

Demorei a descobrir a importância do acalento na política feminista. Não sei de onde sacaram o qualificador *egoísta* para as mulheres que aprendem a cuidar de si mesmas e dos outros. Essa não é uma interpelação inocente: é como se o tempo da vida não pertencesse a nós mesmas, pois somente poderia ser vivido na relação do cuidado de outros. É assim que muitas mulheres atravessam a vida, e muitas na interseção com outras formas de opressão, como o capacitismo, a pobreza ou o racismo. Além de assujeitadas à pedagogia do cuidado como ser-para-os-outros, são também trabalhadoras do cuidado, para que outras mulheres possam aliviar-se dos deveres do cuidado. Quanto mais vulnerável for a mulher, como uma mulher negra pobre ou migrante indocumentada, mais o dever do cuidado estará entranhado na sua existência. E mais precarizado será o trabalho do cuidado. Mas não há como pensar a pedagogia do cuidado sem seu contraponto, a moral do egoísmo, pois essa é a genealogia da maternidade como cuidado transparente para os outros, e não para si mesma. Por isso, me arriscarei no encontro entre vocabulários políticos e existenciais estranhos um ao outro, como o acalento de si e o egoísmo.

Nunca falamos tanto do trabalho e da economia do cuidado como na pandemia de covid-19. Causou surpresa a circulação pública do cuidado como categoria política – parecia um extravasamento da cena à beira do berço para o espaço público. As perguntas vinham de todos os lados: quem cuida dos doentes na linha de frente dos hospitais? Quem é a caixa do supermercado ou balconista da farmácia? Quem é a professora da escola que facilita que outras mulheres trabalhem? Por todos os lados da economia do cuidado, encontramos mulheres, e quanto mais invisível o trabalho do cuidado, mais vulnerável é a mulher. Não há economia da vida ou da sobrevivência sem a prática do cuidado, por isso a pergunta passou a ser quem cuida e como cuida, e quem cuida da cuidadora. Politizar o cuidado não significa abandoná-lo como uma vivência prazerosa às mulheres; é apenas estranhá-lo como uma prática de exploração colonial, patriarcal e racista, que pode alienar as mulheres de si mesmas.

Se estou certa, foram as feministas negras estadunidenses quem primeiro nomearam o autocuidado como prática feminista: o exercício de um deslocamento existencial do outro para si própria. Audre Lorde vivia o segundo diagnóstico de câncer, uma metástase de fígado, quando escreveu "Uma explosão de luz".[1] O livro é uma espécie de diário sobre descobrir-se de novo em sobrevida, buscando o instante mais como "uma experiência a ser vivida e menos como um problema a ser resolvido".[2] Não era só o câncer que Audre Lorde enfrentava no corpo, mas as sequelas do racismo lesbofóbico cotidiano: era habitar um corpo em contínuo risco de extermínio pelo patriarcado racista. Audre Lorde queria ser protagonista do cuidado de si, pois "cuidar de mim mesma não é autoindulgência. É autopreservação, e este é um ato político de guerra".[3] O autocuidado é trabalho político, dizia.

Assim penso o acalento de si. Se conjugo o autocuidado como *acalentar-se*, é para fazê-lo verbo e distanciá-lo da mercantilização que ronda o autocuidado pelo consumo. De uma categoria política de preservação de si – em particular das mulheres mais vulneráveis ao extermínio patriarcal racista, como o que ronda as mulheres atípicas, migrantes e racializadas –, o autocuidado está em disputa com o mercado que

---

[1] Audre Lorde, *A burst of light and other essays*. Nova York: Mineola, 2017. As notas seguirão a tradução brasileira de Stephanie Borges, exceto ao final, onde apresento um diálogo com o original (Audre Lorde, "Uma explosão de luz: vivendo com câncer". In: *Sou sua irmã: escritos reunidos e inéditos*. Organização de Djamila Ribeiro. Tradução de Stephanie Borges. São Paulo: Ubu, 2020. pp. 117-189).

[2] Lorde descreve como uma referência africana sobre a forma de viver a vida. *Ibidem*, p. 175.

[3] Audre Lorde, "Epilogue" [Epílogo]. In: *A burst of light and other essays*. Op. cit. p. 140. A tradução brasileira não incorporou o epílogo.

insiste em fazê-lo uma categoria sobre indivíduos consumidores. Portanto, está distante da arqueologia política pensada por Audre Lorde, que o definiu por seu contraponto à autoindulgência.[4] O acalento de si é sempre político – exige tempo livre da alienação do cuidado para os outros; exige intimidade com as próprias entranhas. Ou seja, um espaço pouco explorado para a existência consigo mesma. Por isso, nem sempre o acalento de si é prazeroso, como nos faz crer o mercado do autocuidado; há também dor na transformação de si mesma.

Comecei a pensar o acalento de si com a cena da jovem mãe no berço e com a lembrança das bonecas. Talvez, *acalento de si* seja menos político que *autocuidado* e minha resistência à mercantilização do autocuidado represente um abandono indevido da matriz de sobrevivência da arqueologia política da categoria. Talvez sejam minhas raízes latinas, brasileiras e nordestinas que insistem em fraturar a pedagogia do cuidado para transformá-lo em acalento de si e do mundo. Escuto mais uma vez Géssica Eduardo dos Santos, uma sertaneja nordestina de 25 anos, a primeira mulher a ter doado o corpo morto do filho recém-nascido para a ciência explorar os efeitos do vírus zika na gravidez. Géssica recebeu o diagnóstico do vírus, foi informada que o filho não sobreviveria ao parto. O menino nasceu frágil, foi reanimado para que Géssica, como ela contou, pudesse fazer "tudo o que uma mãe quer fazer com um filho: eu cheirei, ninei até me despedir, mesmo com ele já morto". Depois desse gesto tão íntimo e solitário,

---

[4] Raça é uma criação moderna de classificação dos corpos como os *outros* da conquista colonial, como os indígenas e os negros escravizados. *Corpos racializados* são todos aqueles atravessados pelas diásporas, escravizações, regimes de medicalização mutiladora ou matança, encarceramento ou confinamento.

ela doou o corpo do filho à ciência. Em seus termos: "não queria ser egoísta com todas as mães do mundo, sem resposta".[5]

Ouço Géssica e releio Audre Lorde. Entre elas estou eu, uma aprendiz do acalento de si como prática feminista. O acalento de si também tem a ver com sobreviver ao patriarcado e suas tramas perversas, com capacitismo, a pobreza e o racismo, e daí poder contar nossa própria história. É preciso tempo e espaço para construir-se, mesmo que com dor. Géssica ninou o filho já morto, o que me faz ouvi-la embalada em verso de Conceição Evaristo: "Todas as manhãs acoito sonhos e acalento entre a unha e a carne uma agudíssima dor."[6] Descubro o acalento em Audre Lorde, na entrada do diário sobre sobrevivência, datada de 20 de abril de 1986, no parágrafo que se inicia com: "E é claro que o câncer é político [...]": "nossa batalha é definir sobrevivência de formas que sejam aceitáveis e acalentadoras para nós, sentidos com substância e estilo. Substância. Nosso trabalho. Estilo. Verdadeiros a nós mesmas".[7] Isto é o autocuidado: o acalento de si que sobrevive entre a unha e a carne que guarda a dor e acoita sonhos.

---

[5] A história de Géssica foi contada por mim no livro sobre zika no Brasil (Debora Diniz, "As nordestinas". In: *Zika: do sertão nordestino à ameaça global*. Rio de Janeiro: Civilização Brasileira, 2016. p. 79) e no filme *Zika*. (Direção: Debora Diniz. Produção: Luciana Brito e Sinara Gumieri. Brasília: ImagensLivres, 2015 (29 min), color. Disponível em: <www.youtube.com/watch?v=m8tOpS515dA>. Acesso em: 3 jan. 2022).

[6] Conceição Evaristo, "Todas as manhãs". In: *Poemas da recordação e outros movimentos*. 5ª ed. Rio de Janeiro: Malê, 2017. p. 13.

[7] A tradução brasileira de Stephanie Borges seguiu este caminho: "Nossa batalha é definir a sobrevivência de formas que sejam *aceitáveis e recompensadoras para nós*, no sentido de terem substância e estilo. Substância. Nosso trabalho. Estilo. *De acordo com quem somos*" (Audre Lorde, "Uma explosão de luz: vivendo com câncer". In: *Sou sua irmã: escritos reunidos e inéditos. Op. cit.* p. 160. [Grifos meus.]). No original, o primeiro trecho é: *"acceptable and nourishing to us"*; o segundo, *"true to our selves"*.

Assim escuto Géssica entre o embalo do filho natimorto e a humanidade na imagem de todas as futuras mães do mundo.

Gosto do acalento. E mais ainda do acalento pronominal para a esperança feminista. Significa o deslocamento para si mesma: acalentar-me. A emergência do eu para a política feminista exige intimidade com as próprias entranhas, o acalento da dor entre a unha e a carne. O corpo próprio pede uma excursão sobre suas fronteiras, seus incômodos e seus prazeres. Falamos em direito ao próprio corpo, seja para nos mantermos vivas do feminicídio ou para decidir sobre um aborto, para um trabalho decente ou para não morrer de fome. O reclame que deveria ser tão natural como sobreviver no próprio corpo está longe de ser pacífico, pois quanto mais vulnerável o corpo de uma mulher mais exposto à destruição se encontra. O acalento de si é exatamente sobre como sobreviver ao patriarcado sem destruir-se como matéria explorada ou alienada. Acalento de si é proteção contra a destruição, é fortalecer-se na sobrevivência.

IVONE
GEBARA

O verbo a ser tratado inicialmente era *acalentar*. Por estranhas razões que não consigo decifrar, embora eu tivesse escrito *acalentar* na minha lista de verbos, eu lia sempre *acariciar*. Sem perceber o meu equívoco, passei a refletir e escrever sobre o *acariciar*. A relação entre os dois é íntima. Por isso ao falar de um verbo tocamos inevitavelmente também no outro.

Fiquei me perguntando por que o verbo *acariciar* foi introduzido como verbo capaz de provocar esperança feminista. À primeira vista, pareceu-me um doce enigma, algo meio claro/escuro, sobretudo na minha idade. Embora goste muito desse verbo – porque lembra ternura, seiva afetiva que nos habita, calor humano tão importante na vida –, pareceu-me difícil discorrer sobre ele. Teria que entregar-me, talvez, às memórias passadas em que provei o sabor do acariciar, dando e recebendo carícias? Ou haveria outro jeito de entregar-me a ele a partir de meu presente para descobrir seus modos de existir de hoje?

Cheia de dúvidas, fiquei com muitas perguntas e bem poucas respostas. Como para caminhar é preciso dar o primeiro passo, aventuro-me a discorrer sobre este verbo como se a poesia me ajudasse a expressá-lo com mais facilidade. Então o que busco aqui é revelar sua dimensão poética na direção da esperança feminista.

O verbo *acariciar* começou a invadir lentamente meu pensamento em um vaivém de memórias quase sentidas à flor da pele. Mas não era sobre memórias que eu queria escrever e falar. No meu pensamento e nas minhas memórias, o *acariciar* começou a sentir-se quase fora de lugar, porque as carícias não podem morar apenas no pensamento. Não é o seu lugar predileto. Elas são coisa de pele, do corpo, dos dedos fazendo cafuné, das mãos tocando corpos e espalhando sobre eles suaves prazeres. Elas são do tocar, do falar, do ouvir, do sentir. São do cantar e do poetar, lugares móveis que podem marcar a força do acariciar. *Acariciar* é um verbo que não se adapta bem a dicionários ou fórmulas feitas, é um verbo que só se conjuga a partir de relações amorosas, de cumplicidades que revelam algo de sua intimidade e necessidade.

Há muitos tipos de carícia: suaves, intensas, em forma de brisa leve ou de furacão que abala entranhas. Há carícias artísticas, como a do artista João das Alagoas, que, na cidadezinha de Capela, acaricia o barro, sente a argila em suas mãos, em seu corpo, em seu sopro. Há a carícia de dona Bernadete, de Recife, fazendo suas geleias de goiaba e de acerola, mexendo a panela devagarinho, concentrada, silenciosa, esperando chegar à consistência certa. Baixa o fogo. Apaga. Espera um largo tempo e acende o fogo de novo, e mexe, remexe, até que a carícia chegue ao seu glorioso final. Carícias da arte, da natureza, de um pôr do sol, de um céu estrelado, de um abraço amigo.

A partir do pensamento e de minha vida atual, concluí que é importante situar o *acariciar* e o *afagar* em cada tempo e em cada espaço. *Acariciar*, na velhice de uma intelectual ativista como eu, é entregar sobretudo palavras como carícias que fazem bem. Palavras como carícias. Estranha comparação e estranho aconchego entregue a palavras. Comparação e aconchego talvez verdadeiros, porém também incompletos, porque algumas palavras são carinhosas na aparência, mas às vezes cansam por sua pronúncia repetida e vazia. Nós nos habituamos a repetir palavras bonitas e amorosas sem que de fato correspondam a uma emoção real. O hábito do uso as desgasta de sua intensidade própria. A impropriedade e inadequação do uso as fazem perder sua força.

Palavras acariciantes têm que ter uma consistência e uma verdade especial. Têm que ter substância, energia real, sentimento de reciprocidade, emoções variadas e convergentes, silêncios densos de sentido. Têm que conter perguntas e respostas interiores, mesmo se for apenas no imediato.

Mas o que são as palavras acariciantes? Ou ainda, como tornar as palavras acariciantes? Creio que palavras acariciantes são aquelas que, ao serem ouvidas ou lidas, nos fazem bem, colam-se a nós como delicadas ternuras. Grudam a nosso corpo como bálsamo sanador e tornam-se vida prazerosa nele. Elas se ajustam em nós como se nos habitassem desde sempre. Tornam-se pedaço de nós dito por outros. Matam fomes e sedes de afetos. Lembram saudades e sonhos. Renovam amores e desejos aparentemente enterrados. Tornam-se palavras que iluminam o coração e a mente quando não sabíamos mais expressar o que sentíamos.

Há muitos tipos de palavras acariciantes. Umas são como uma brisa suave que nos toca e se vai. Outras movem-nos a mudar comportamentos e dar novos passos. Há também as que nos confirmam nos sentimentos e nas buscas que estamos fazendo. Ou nos convidam a acariciar em reciprocidade de palavras e gestos. Existem as que nos provocam um bem-estar silencioso e são sentidas lá no silêncio de um acalento suave e terno que é apenas de um instante, mas parece eterno. Outras, ainda, movem atitudes e ações em nós, nos convocam, nos instigam, nos mobilizam coletivamente.

Há também outras palavras aparentemente acariciantes que, no entanto, de fato incomodam e doem. Sim, há palavras/carícias que nos perturbam, porque provêm de mãos que externamente nos acariciam, mas na verdade nos aliciam, invadem nosso corpo como ervas daninhas, como espinhos que não conseguimos arrancar. São as carícias instrumentalizadas, mercantis, mentirosas, fingidas, aparentes. São as carícias que querem comprar-nos para planos exploratórios, para intenções ocultas. Estas, embora pareçam carícias, não o são. São pequenas pedras pontiagudas que nos fincam no corpo, ou unhadas quase imperceptíveis que machucam a carne e o pensamento. Provêm de muita gente que faz dos afetos jogos para conquistar adeptos às suas crenças e sugar nossa força vital, para vender seus produtos, para roubar nosso corpo e submetê-lo a seu modelo consumista. Assim, há carícias de muitos tipos, que se conjugam em muitos tempos e modos verbais, que usam impropriamente as mesmas palavras e gestos semelhantes. Carícias são, por isso mesmo, realidades emocionais misturadas, grandes e pequenas, fortes e frágeis, verdadeiras e mentirosas, capazes de levar-nos aos céus ou de baixar-nos aos infernos insuportáveis.

De repente, algumas palavras fortes vão até o íntimo da alma e provocam a vontade de sermos *livres*, de livrar-nos das opressões, dos maus-tratos e das invasões constantes de colonizadores. Abrimo-nos a essas palavras, que nos abrigam, nos ninam, nos acalantam docemente, nos alimentam como um seio repleto de saboroso leite. As palavras acariciantes que libertam são palavras que não contêm certezas estáticas. Sua repetição é sempre uma novidade que se ajusta ao momento. Tudo depende dos corpos que as entregam e dos que as recebem. Importam também o instante e a constância que temos quando começamos a arrancar as ervas sufocantes, a molhar a terra seca para plantar novas sementes e flores. Florescer em terreno ressecado leva tempo. Por isso as carícias do *feminismo* não são milagres de um dia, são ação amorosa de cada dia para nos amarmos e amarmos umas às outras. São carícia doce e forte ao mesmo tempo que nos arrancam da dependência servil cultural e religiosa à qual nos habituamos. Elas nos fazem descobrir outras sensações, sonhar com outros mundos possíveis, outras relações, outras formas de vida.

Sinto-me acariciadora e acariciada por palavras fortes. Podem ser palavras lidas e escutadas ou palavras silenciosas, de olhares e de sorrisos, que fazem o corpo sentir a força benéfica da carícia criadora que provém delas. Gosto das carícias silenciosas, porque são carregadas de surpresas, têm algo de imprevisto e também uma deliciosa leveza. Não exigem reciprocidades de semelhança, aquilo que é afirmado como *tem que ser assim*.

Acolhem reciprocidades diferentes segundo a inspiração, semeando possibilidades. Acariciam inventando mundos, enxugando lágrimas. Gosto das carícias de palavras e situações novas que me convocam a descobrir um outro mundo, me arrancam de minha ética mesquinha, de meu pequeno mundo e alargam meu pensamento. Abrem meu corpo para sentir outros ventos. Só apenas o fato de ouvir seu anúncio me faz assentir com sua carícia. E isso me confirma a diversidade de possibilidades que crescem pelo mundo humano.

Mas também há carícias de nostalgias, de sentimentos reais e inconfessados, de dores ocultas. De repente me lembrei do poema "Elegia de Seo Antônio Ninguém", de Manoel de Barros, do qual guardo alguns versos na memória:

> *Sou um sujeito desacontecido*
> *rolando borra abaixo como bosta de cobra.*
> *Fui relatado no capítulo da borra.*
> *Em aba de chapéu velho só nasce flor taciturna.*
> *Tudo é noite no meu canto. [...]*
> *Estou sem eternidades. [...]*
> *Tenho abandonos por dentro e por fora. [...]*
> *Eu pareço com nada parecido.*[1]

De certa forma, sinto que o poema trata de algo que muitas vezes experimento. Sou eu que me falo através do poema, e aí acontece outro tipo de carícia, a carícia da verdade do momento vivido, do sentido, do experimentado através da palavra do outro, do encontro simbólico com o outro ausente, da comunhão de muitos sentires. É carícia poética sem objetivo preciso

---

[1] Manoel de Barros, *Livro sobre nada*. Rio de Janeiro: Record, 1996. p. 79.

a não ser o de emprestar palavras para expressar o que se está vivendo. Ela confirma e recria algo apofântico, isto é, expresso num silenciar significante de palavras, uma vez que essas não conseguem expressá-lo ou são muito pobres para dizê-lo.

Desacontecida, aba de chapéu de velho, noite no meu canto, abandonos por dentro e por fora, parecer com nada parecido. Palavras-carícias que apenas se sentem. Assim, o poema de Manoel de Barros me acariciou em um momento nostálgico, porque simplesmente expressou algo do que mais ou menos eu sentia sem saber explicar. Basta que as palavras sirvam para mim, que elas me vistam, mesmo desajeitadas. Se eu explicar, perde-se a magia da carícia. Se eu argumentar, perco a beleza do instante.

Vivi com o poema a sensação de um encontro, da comunhão dos corpos e para além deles. As palavras do poeta revelaram algo de força e algo se extinguindo lentamente em mim, docemente e em mutação contínua. É isso que fazem algumas palavras que, falando ao coração em situações diversas, fazem com que aconteça um eco de carícias dentro de nós. Põem a nu sentimentos e emoções que correspondem à nossa verdade do momento e nos convidam a silenciar e a enxergar de muitos jeitos a palavra *carícia*.

Será que as palavras-carícias servem para a *esperança* da luta feminista? Ou será que as palavras do feminismo são elas mesmas palavras que acariciam?

À primeira vista tenho vontade de dizer que elas não acariciam, porque a resposta à agressão social que vivemos não pode ser a carícia. Porém, imediatamente me corrijo. Às vezes a carícia pode ser até um susto, um punhal simbólico no coração, que nos acorda para nós mesmas, um susto que nos convida a lutar por nossa dignidade, um sacolejo que nos acorda para lutar por direitos e pela possessão de nosso corpo. As carícias feministas provocam o desejo concupiscente de ser mais do que uma serva obediente, mais do que um autômato dirigido por forças armadas, mais do que a mãe que dá a vida por sua família, ou mais que a *filha de Deus* sempre pronta a obedecer, a dobrar os joelhos e a cobrir a cabeça. *Acariciar a liberdade*, aconchegar-se na liberdade, é isso que o feminismo faz. Desperta no corpo o desejo de ser livre de muitas opressões.

Acariciar a liberdade é renovar carícias de liberdade ao longo de nossa história. E o que é mesmo acariciar a liberdade? De que liberdade estamos falando?

No fundo, nossos caminhos são uma procura contínua por liberdade. Somos prisioneiras de nós mesmas e de muitos outros. Dobramo-nos frente a deveres, a crenças, a devoções, a leis injustas, a hábitos culturais, a manuais da moda, a deveres de Estado, a catecismos políticos e religiosos que nos impedem de pensar e nos atam às suas correntes às vezes invisíveis. E vamos nos enredando até não mais nos possuirmos e não saber mais quem somos. Um mal-estar instala-se em nosso corpo, pesa no peito, faz doer o sentimento, dificulta a respiração, aperta o pensamento, como se fosse uma corda rústica que nos atasse a uma pedra e impedisse de andar e respirar com desenvoltura. O tudo igual nos oprime, a monotonia nos sufoca. E de repente alguém nos grita: LIBERDADE. O que é isso que todos gritam e acariciam e chamam de LIBERDADE?

Se pensarmos pelo viés da etimologia, o termo *liberdade*, do grego *eleutheria*, significava o poder de movimento, de sentir-se movendo-se sem ataduras. É tirar as cordas que nos impedem de respirar e caminhar. Da mesma maneira, no latim, o termo *libertas* simboliza a independência do domínio de outros. Por sua vez, no alemão, a palavra *Freiheit* carrega, em sua origem, o significado literal de *pescoço livre*, referindo-se aos grilhões da escravização. Então, no feminismo, acariciar a liberdade é acariciar nosso direito a mover-nos sem agressões na sociedade, é libertar-nos tanto de grilhões colonizadores racistas e das políticas autoritárias quanto das religiões e do capitalismo atual. É libertar nosso pescoço das mãos dos que se julgam nossos senhores e acreditam que nos têm em suas mãos ou sob seus pés. Liberdade é respirar com nossos pulmões. E há que renovar continuamente o ar que nutre a liberdade. E isso porque habituamo-nos facilmente às nossas pequenas conquistas, sem pensar que não há ponto de chegada único à exigente carícia da liberdade. Ela vive e se renova em nós e nas outras gerações que virão.

Acariciar, uma variação terna de tocar o corpo, de provocar boas emoções, de nutrir-nos para que a luta pela vida siga seu rumo e seu ritmo, nutrida por ternuras e liberdade. Acariciar de muitos jeitos para alimentar a vida e a energia de viver. Para confirmar caminhos para além das razões, das ideologias, das teologias. Quebrar barreiras, formalidades, convenções. Como irrupção do outro em mim de mil maneiras. Acariciar acolhida pelo outro ou outra em mim de mil maneiras. Para quê? Só para dizer que existimos juntos, neste instante único no qual nos encontramos aqui e agora, em estado de busca e efetivação de carícias mútuas.

ACARICIAR A LIBERDADE, ACONCHEGAR-SE NA LIBERDADE, É ISSO QUE O FEMINISMO FAZ.

LEMBRRAR
EMBRAR

DEBORA
DINIZ

Recordo-me dela.[1] Mas como pode ser se nunca a vi? Vivemos em tempos diferentes, e ela morreu antes que eu nascesse. Sequer sei seu nome. A verdade é que eu a inventei em minhas lembranças pelos fragmentos de testemunho deixados pelo patriarcado em minha família. O patriarcado apaga as memórias, desaparece com as mulheres. É o feminismo que resiste à amnésia imposta pela circulação de histórias únicas.

Cresci escutando pedacinhos da história trágica da tia-avó que teria se suicidado por ter engravidado ainda mocinha. Não havia saudade da morta, ela não era nomeada ou descrita. Ora tinha 15, ora 16 anos. "Uma mocinha", repetiam

---

[1] Faço um intertexto com o conto "Funes, o memorioso", que se inicia assim: "Recordo-me dele (eu não tenho o direito de pronunciar esse verbo sagrado, só um homem na Terra teve esse direito e esse homem morreu)" (Jorge Luis Borges, *Ficções*. Tradução de Davi Arrigucci Jr. São Paulo: Companhia das Letras, 2007. p. 76).

os mais velhos. Havia sido desvirginada, e a gravidez era um escândalo para uma família extensa e pobre da Zona da Mata de Alagoas, dos anos 1920. A honra das mulheres e meninas era matéria a ser ostentada aos outros. Na primeira vez que ouvi essa história não havia emoção em quem a contava, talvez houvesse até um tom rude de quem esperava uma lição premonitória às futuras mocinhas na sala. Já adulta, ouvi diferentes versões do suicídio: para uns, ela havia se matado sozinha; para outros, em uma jura de amor em que o amante a deixou solitária na gravidez e na morte. Ela morreu, ele fugiu.

Nunca soube mais do que isso. Eu sabia coisas em excesso, como o nome do amante ou o local de sua fuga, e desconhecia coisas fundamentais sobre ela: o sexo foi consensual ou violento? Ela contou a alguém sobre o plano de suicídio? Deixou alguma carta? Nada, nem um elemento sequer que me oferecesse a verdade do suicídio. Os velhos que testemunharam a história já morreram, os herdeiros da história oral nunca se preocuparam com a verdade da tragédia. Esquecer era uma forma de não se inquietar. Era um evento de vergonha ainda para as gerações posteriores: havia a gravidez e o suicídio. "Ela se suicidou porque engravidou fora do casamento", repetiam. Nessa frase vários elementos do patriarcado se atropelam numa mesma vida feita anônima pelo apagamento das lembranças. A tia-avó, a mocinha anônima, foi morta pelo patriarcado. Mataram-na, e sob intensa tortura.

O que faço é mais do que reescrita da história: enfrento o que Chimamanda Adichie descreveu como "o perigo de uma história única".² Não disputo a verdade sobre o passado como fazem os historiadores dos arquivos. É incomum haver arquivo material sobre a vida de mulheres desaparecidas, pois o poder arconte era o poder patriarcal que controlava sua sexualidade e fez de sua morte o suicídio pela desonra.³ Acreditar na escavação do passado por técnicas instauradas pelo poder que a fez desaparecer me leva a retornar aos fragmentos da história oral que nomeiam o matador, porém reduzem a mulher ao sexo desvirginado. O que faço com os fragmentos da lembrança é desafiar a circulação da história única como a verdade da história. É isto que faz o feminismo: lança novas perguntas ao passado, escuta outras vozes para deslocar o presente e imaginar o futuro.

Chimamanda Adichie sabe que há um poder perverso na circulação das histórias únicas: elas roubam a dignidade de um povo. A forma de despossuir um povo ou uma vida é iniciando as narrativas com a lógica do "em segundo lugar". Diz ela: "O poeta palestino Mourid Barghouti escreveu que, se você quiser *despossuir* um povo, a maneira mais simples é contar a história dele e começar com 'em segundo lugar'. Comece a história com as flechas dos indígenas americanos, e não com a chegada dos britânicos, e a história será completamente diferente".⁴ É isso. *Em segundo lugar,* a tia-avó se suicidou. O

---

² Chimamanda Ngozi Adichie, *O perigo de uma história única*. 2ª ed. Tradução de Julia Romeu. São Paulo: Companhia das Letras, 2019.

³ O *poder arconte* é o de guardião de um arquivo (Jacques Derrida, *Mal de arquivo: uma impressão freudiana*. Tradução de Claudia de Moraes Rego. Rio de Janeiro: Relume Dumará, 2001).

⁴ A tradução para a língua portuguesa optou por *espoliar* em lugar de *despossuir*, para o seguinte trecho do original de Adichie: *"if you want to dispossess a people, the simplest way to do it is to tell their story and start with 'secondly'"*. Minha escolha

feminismo busca as perguntas anteriores àquelas que movem as histórias oficiais, e uma delas é, certamente, a pergunta fundamental da crítica feminista às políticas da vida: *o que fizeram com ela?* Desnomeada e esquecida, sei o que fizeram com ela: iludida por um casamento, encantada pelos prazeres do sexo ou coagida pela fúria de um homem mais velho, a tia-avó engravidou. Tornou-se um corpo abjeto a ser desaparecido da casa pelo casamento ou pela morte. Morreu, matada pelo patriarcado, agonizando pelo veneno nas entranhas.

Definir as perguntas ou sua ordem de importância é uma das táticas mais eficientes para circular histórias únicas que provocam amnésia sobre a vida, a participação ou a contribuição das mulheres na história. Assim são as histórias de violência – "Ela usava minissaia na rua escura", nós perguntamos: "O que fizeram com ela?" – ou de aborto –, "Ela morreu com um talo de mamona no útero", nós perguntamos: "O que fizeram com ela?". Se, na violência, há um agressor em frente a essa mulher, no aborto há o patriarcado em forma de lei penal ou dogma religioso. O exercício de instaurar quais perguntas importam para contar uma história não é trivial, pois a circulação de histórias únicas tem o efeito amnésico em nós. Os artefatos da história estão imersos no patriarcado e em suas tramas de opressão: é quem escreve, quem investiga ou sentencia que possui o poder de registro das verdades dos arquivos. Por isso, a história oral, a lembrança e o testemunho são elementos para desafiar os vazios que assombram as histórias únicas.

---

por *despossuir* se deve à referência à terra no argumento de Barghouti. Há literatura feminista recente, em particular Judith Butler e Athena Athanasiou, que discute a despossessão como uma tática do poder patriarcal.

Das bordas de qualquer poder violento, as testemunhas integrais são as que sucumbiram, diz Primo Levi. É a tia-avó: só ela saberia responder à pergunta que importa para sua morte – "O que fizeram com você?". A verdadeira testemunha está morta. A circulação de outras histórias depende das lembranças das sobreviventes do poder, e por isso, para Primo Levi, "todo testemunho é um ato de guerra contra o fascismo".[5] Para o feminismo, todo testemunho de mulheres é um ato de desmantelo do patriarcado. A tarefa não é fácil, uma vez que uma das formas de manter a circulação de histórias únicas é traçar as fronteiras entre o possível e o imaginável para a escuta das sobreviventes. Uma mulher que conte sua própria história de violência doméstica ouvirá questionamentos sobre as razões de sua permanência na casa ou se fez algo para provocar a fúria masculina. A recepção de seu lamento de dor é mediada pela dúvida patriarcal sobre a legitimidade de sua condição de vítima e sobrevivente.

Lélia Gonzalez compareceu aos debates da Constituinte de 1988 como uma sobrevivente do patriarcado racista no Brasil. É preciso coragem para ouvir, dizia ela, mas ouvir quem? "Nós temos que estar aqui unidos sim; temos que ter a coragem de nos ouvirmos sim e temos que ter, sobretudo, a coragem de ouvir aquele segmento da população brasileira, como o segmento indígena, como o segmento feminino, que sempre foram objeto na história, que nunca foram sujeitos da sua própria fala, que agora se assumem como sujeitos da

---

[5] Primo Levi, *Os que sucumbem e os que se salvam*. Tradução de José Colaço Barreiros. Lisboa: Dom Quixote, 2018. p. 144. [Ed. bras.: *Os afogados e os sobreviventes*. 4ª ed. Tradução de Luiz Sérgio Henriques. Rio de Janeiro: Paz e Terra, 2020.]

sua fala, se assumem como sujeitos da sua história."[6] A coragem de escutar pedia a coragem de lembrar, e para isso era preciso refazer a história colonial brasileira. É preciso escavar quem foi a mulher anônima da transformação social do país. Se a historiografia escolástica não é capaz de fazer isso devido à ausência de arquivos ou artefatos, a literatura pela lembrança, pelas histórias contadas de mulheres a mulheres, vem ocupando um lugar especial para a desimaginação do patriarcado racista entre nós. A partir delas, é possível haver a circulação de outras histórias além da história única. Assim é a escrevivência de Conceição Evaristo: histórias iniciadas com o sol desenhado com muitas pernas no chão de terra enlameada, em que a mãe repetia um gesto ancestral de convocação da chuva. Uma mulher sem letras, mas repleta de lembranças, fazia circular outras formas de saber.

"Ainda me lembro", diz Conceição Evaristo, "o lápis era um graveto, quase sempre em forma de uma forquilha, e o papel era a terra lamacenta, rente a suas pernas abertas. Mãe se abaixava, mas antes cuidadosamente ajuntava e enrolava a saia, para prendê-la entre as coxas e o ventre. E de cócoras, com parte do corpo quase alisando a umidade do chão, ela desenhava um grande sol, cheio de infinitas pernas".[7] Lembrar, para o feminismo, não é um gesto inocente: é, marcadamente, político. É romper com a falácia do reconhecimento-desconhecimento das mulheres anônimas das histórias, como

---

[6] Lélia Gonzalez, "Discurso na Constituinte". In: *Por um feminismo afro-latino-americano*. Organização de Flavia Rios e Márcia Lima. Rio de Janeiro: Zahar, 2020. p. 261.

[7] Conceição Evaristo, "Da grafia-desenho de minha mãe, um dos lugares de nascimento de minha escrita". In: Constância Lima Duarte e Isabella Rosado Nunes (orgs.). *Escrevivência: a escrita de nós. Reflexões sobre a obra de Conceição Evaristo*. Rio de Janeiro: Mina Comunicação e Arte, 2020. p. 49.

convocava Lélia Gonzalez na Constituinte ao falar da amnésia sobre o passado dos povos originários e africanos. Na escolha pelo desconhecimento, isto é, pelo esquecimento, há um tipo de humano que conta a história e é referência para a lembrança sobre quem nos antecede para nos definir – o patriarca branco colonial.

Se a morte da tia-avó foi contada de outra forma entre as mulheres mais velhas da família, eu não participei dessas memórias. A mim, duas gerações seguintes, o que cabia aprender para lembrar é que a sexualidade atravessa o corpo e a vida das mulheres. Em resistência ao silêncio da história, a imagino pelos fragmentos da lembrança. Faço um testemunho fragmentado da matança da tia-avó. Acredito que o verbo feminista *lembrar* se entremeia ao *testemunhar* e que, por isso, precisamos rebelar-nos sobre as formas de lembrar para contar uma história. Escutemos as que começam com o sol de pernas compridas na lama, com a de Conceição Evaristo. De mim, lembrarei que mulheres anônimas morreram envenenadas, como a tia-avó, porque foram desvirginadas. Tenho como dever saldar uma fratura de imaginação deixada em mim pelos poderes violentos, como o patriarcado e o racismo.

IVONE
GEBARA

Pensar no verbo *lembrar* para nutrir a esperança feminista não é tarefa fácil, por conta das perguntas e dos desafios que levanta. Sabemos espontaneamente o que é *lembrar*, mas, quando temos que pensar o lembrar, nos encontramos como num labirinto de sentimentos, em que há muitos caminhos de reflexão possíveis. O fato de se parecerem com lembranças ou com passado assemelha esses sentimentos uns aos outros, o que torna difícil escolher uma lembrança para apreender seu mecanismo, seu funcionamento e sua força em nós no presente.

Quando escolhemos uma lembrança para analisarmos, nos deparamos com uma série de obstáculos que nos fazem voltar atrás e escolher outra lembrança – e talvez ainda outra. Repetimos o mesmo processo até que, exauridas por essa busca aparentemente sem fim, nos recordamos que lembrar não é reproduzir conhecimentos com exatidão matemática, mas apenas resgatar algo do passado no presente. E esse *algo* já é suficiente para constatar que viemos de longe, que somos muitas e muitos, e há muitas coisas transformadas, embora nossa consciência individual seja apenas nossa. O cérebro humano tem a extraordinária capacidade de guardar conhecimentos, informações e emoções os mais variados desde antes de nosso nascimento. A história pessoal vai sendo gravada, armazenada, e muito pode ser recuperado mesmo depois de muitos anos. Lembrar-se e ter consciência de que houve um caminho coletivo anterior ao nosso, que guardamos muito dele e somos o que somos por causa dele.

As memórias se acumulam e também se dissolvem, ou escorregam da peneira do cérebro envelhecido ou nos estados de demência. Nesses casos, é perdida sua história individual, são dissolvidas as emoções e até a identidade pessoal. Nesses processos, o que resta são apenas fragmentos desconexos que não permitem à pessoa reconstituir sua história. Quem desenvolve a demência como esquecimento não sabe explicitar sua fome, sua sede, sua dor, suas necessidades fisiológicas. O uso da palavra desconecta-se da lógica gramatical do pensamento e do corpo e afirma-se apenas uma presença viva eivada de ausências irrecuperáveis. Sem as lembranças, deixamos de ser a consciência que fomos e passamos a ser apenas pessoas a serem cuidadas, à mercê dos que nos querem vivos. Mas a lembrança de nossa passagem deixa traços em processos maiores que a nossa própria consciência. Fica em algo maior escondido na própria evolução do planeta. *Lembrar* é um verbo que precisa de outros para ser conjugado. Sente-se bem quando pode *nutrir o imaginar*, quando pode aliar-se ao *criar*, quando pode *vasculhar* o passado para *entender* o presente, quando pode *esquecer* o que não quer mais ser lembrado, quando pode *celebrar* a vida de quem se foi e até *perdoar* algo do passado.

Para além da dimensão pessoal do lembrar-se, há a dimensão coletiva. É ela que faz a nossa história comum, cheia de pedacinhos umas das outras, ter sentido de um tempo mais ou menos comum vivido no passado e no presente. Por isso, lembrar a história é lembrar a vida que tivemos e que nos permitiu ser o que somos hoje. É também continuamente interpretar o passado a partir do *presente*. E é assim que o presente ilumina o passado ou o obscurece, tornando-o algo diferente, modificado, sem raízes reais – porque um passado é apenas imaginado. O presente pode fazer do passado uma bela ficção idealizada, incapaz de mover-nos criativamente no cotidiano. Este pode também querer enterrar o passado de sofrimentos e contradições, para que ele não nos atormente com seus fantasmas apavorantes. Pode glorificar heróis e ditadores sanguinários, pode trair o que foi para afirmar as conveniências da história presente. Na mesma linha, muitas vezes gostamos de ser fiéis ao passado querendo torná-lo absoluto e detentor da verdade da vida. É o que fazem religiões e partidos políticos com suas histórias edificantes, que propõem imitar seus fundadores e impõem um ensino repetitivo do passado, como se o presente, na sua diversidade, coubesse nele.

Lembrar é, de fato, atualizar e transformar as lembranças em força de luta para viver a liberdade em nós de forma renovada. É alimento e convite para seguir procurando os novos caminhos da liberdade, aprendendo e ensinando as saídas dos ancestrais, os erros do passado, as intermitências da vida e da morte. As lembranças são reproduções precárias da vida precária que temos. Nós as assumimos porque seremos também lembrança. Por isso, afirmamos que somos lembrança, somos memória e imaginação, somos dor e prazer misturados e tecidos a uma infinidade de emoções e de vidas presentes e passadas. Lembrar-nos de alguém que amamos e está distante é trazer essa pessoa até nós. Lembrar a vida dos que não conhecemos, mas que nos entusiasmaram na juventude ou na velhice, é querer nutrir as lutas presentes com a inspiração das e dos que lutaram antes de nós e por nós.

Lembrar é o oposto de esquecer. E são muitos os esquecidos e esquecidas de nosso mundo. Os esquecidos são em número bem maior do que os lembrados. Às vezes o abandono é tanto que as pessoas dizem sentir-se "esquecidas por Deus". E afirmam: "Ninguém se lembra de que eu existo, ninguém se importa com minha dor." Desamparo, abandono, esquecimento da multidão que busca apenas um lugar no planeta, um lugar estreito em que caiba seu corpo. Lembrei-me do livro *Morte e vida severina*, de João Cabral de Melo Neto, que retrata tão bem a vida e a morte dos esquecidos.[1]

Lembrar é um dos verbos mais importantes para o feminismo e, embora possa estar cheio de dores recentes, é capaz de guardar e revelar a realidade dos passos libertários trilhados e alcançados pelas mulheres de muitos lugares do mundo. Lembrar dores sofridas e sonhar em lutar pela liberdade, sentindo-nos quase heroínas para nós mesmas, avançando em vista de uma causa pessoal e comum, é parte integrante de nossa atual memória coletiva. *Lembrar* é, pois, um verbo sempre presente em nossa vida. É colado ao nosso corpo, à arte,

---

[1] João Cabral de Melo Neto, *Morte e vida severina*. Rio de Janeiro: Alfaguara, 2016.

à literatura, à cozinha, aos sabores que provamos ao longo de nossa história. É tecido de muitas vidas em nossa vida, na diversidade de seus momentos e das emoções que provoca.

Povoada de muitas histórias de meu passado, um dia decidi escrever algumas lembranças de minhas ancestrais vindas da Síria como emigrantes. Elas pareciam não ter interesse para ninguém, nem mesmo para os familiares que delas descendiam. Porém, me acompanhavam misteriosamente, e eu queria que elas vivessem ao menos em parte para além de mim, por isso as coloquei num livro chamado *Travessias e acenos*.[2] Suas histórias reais, e ao mesmo tempo em parte inventadas por mim, me revelavam a luta anônima dessas mulheres para viver com dignidade. Não eram feministas, não pertenciam a nenhum movimento social ou político. Faziam parte da multidão que buscava viver, ter casa, estudar, trabalhar e educar seus filhos.

Escrever histórias dos sofrimentos e conquistas das mulheres é parte da nova *historiografia feminista*. Fazemos nossa história, lembramo-nos de nossas histórias e as tornamos oficialidade histórica para nós em vista de um outro modelo de arquivo histórico. Furamos o cerco dos ilustres senhores, de suas poses para a posteridade, e introduzimos outros cenários jamais considerados históricos. A cozinha, o lavar roupa, o plantar hortaliças, o preparar temperos, o costurar, o bordar, os alinhavos, o cuidado com as crianças e os doentes. Essas coisas simples e cotidianas tornaram-se o outro lado da história, aquele que não é contado porque é desqualificado como história.

---

[2] Ivone Gebara, *Travessias e acenos*. São Paulo: Terceira Via, 2018.

O avental molhado, as mãos engorduradas, a farinha espalhada pelo chão, as mãos na bacia de lavar, as mãos afundadas na terra buscando raízes de mandioca, o seio entregue à criança, a mesa posta, os pés cansados tornaram-se quadros cotidianos de *outra história*, sem a qual a *oficial* não viveria. E as mulheres nos bordéis com suas lágrimas e risos. E as artistas, as operárias, as muitas profissionais, de muitas especialidades, diminuídas e aviltadas por sua condição feminina. E quantos outros quadros poderiam ser resgatados e entregues para a confecção de memórias históricas sem reconhecimento da História patriarcal. Através das lembranças de muitas mulheres vivemos as aventuras de contar-nos, modificando crenças e culturas. Assim, abrimos espaço para que o mundo doméstico se revele ao mundo público. Para que se descubram as conexões, as violências escondidas em leitos esplêndidos. E nas matas ocultas dos longínquos rincões, que se exibam outros encantos e outras carícias. Para que se ouçam outras narrativas diferentes das habituais.

Lembrarmo-nos de nós, partilhar vidas, escrever-nos como *atoras* e autoras da história humana, e não apenas como coadjuvantes com papéis predeterminados, foi uma tentativa de expressar a rica polifonia e policromia de nossa vida reduzida antes ao *submundo* doméstico do cuidado e da obediência segundo a narrativa patriarcal. Nela não aparecia quase nada de seu encanto próprio, de sua magia, de seu fermento, de sua poesia e da necessidade fundamental de sua existência para apoiar as gloriosas lutas masculinas. Lembrar-se e narrar-se é subverter a história já contada, é subverter a moral, as sexualidades prefixadas, os discursos colonizadores prontos, a cronologia imposta em que até os momentos felizes precisavam ser afirmados dentro de um modelo de beleza sublime e irreal para nós.

Estamos reescrevendo a História através de lembranças fragmentadas de nossas muitas histórias, como para denunciar os limites da oficialidade e a possibilidade de uma revolução cultural a partir das extraordinárias memórias das mulheres. Em vez de fórmulas heroicas a partir das quais temos que encaixar acontecimentos e personagens, as memórias das mulheres nos surpreendem por modelos sem modelo, ou seja, pela capacidade de expressar-se a partir da cotidianidade plural da vida tornando-a história. Ultrapassa-se a cultura falocêntrica, na medida em que as mulheres contam sua história para mulheres e exigem seu estatuto de história na História.

Uma vez me encontrei com uma senhora colombiana, líder de um movimento de agricultoras. Algumas de suas companheiras tinham sido estupradas e vítimas das guerrilhas da oficialidade, da extraoficialidade e do tráfico de drogas. Para ajudar a sanar as companheiras, ela organizava grupos em que as mulheres contavam suas histórias e contavam particularmente a história de seu estupro, nos detalhes e sem constrangimento. Ela lhes perguntava sobre o cheiro desses homens, sobre se tinham visto o tamanho do seu sexo. E, ao narrarem, riam-se umas das outras e manifestavam através da narrativa, do riso e da piada o ódio a seus agressores, e tentavam curar-se rindo. Diziam que um cheirava a chiqueiro, outro a fétidos odores de galinheiro sujo, outro a suor azedo acumulado de muitos dias, outro a coisa podre. E riam-se e choravam aproximando os estupradores a animais nojentos e tentando reavivar nelas a chama da vida digna e do resgate da vontade de viver.

A memória das dores narradas tornava-se possibilidade de cura, embora continuassem inscritas na memória do corpo e da alma, como cicatrizes que muitas gostariam de não ter. Porém, a narrativa e o riso introduziam outras emoções e interpretações às tristes memórias, resgatavam vidas permitindo sua continuidade. Na mesma linha, o filme *Que bom te ver viva*, da cineasta brasileira Lúcia Murat, retrata a situação da tortura vivida durante a ditadura militar brasileira por seis mulheres, incluindo ela mesma.[3] Lúcia Murat narra a vida de mulheres que entraram na luta armada contra a ditadura. Há uma série de depoimentos dolorosos de guerrilheiras e cenas do cotidiano dessas mulheres que recuperaram, cada uma à sua maneira, os vários sentidos de viver. É bom lembrar que até na resistência à ditadura a memória das mulheres foi deixada em segundo plano. Falou-se muito dos prisioneiros políticos e de seus sofrimentos, mas pouco das prisioneiras. As mulheres se incluíam na memória maior da História masculina, como se não tivessem vivido sofrimentos tão, ou bem mais, degradantes que alguns homens.

A memória recorda, muitas vezes, o que se gostaria de esquecer. Nem sempre o verbo *lembrar* reveste-se do romantismo que, às vezes, queremos lhe dar. Ele fura o cerco das boas memórias, das pequenas e das grandes memórias de amores e alegrias, e faz subir à luz calafrios, temores e dores escondidos nos recônditos da alma. Afirma-se, assim, a fertilidade da dor, que é capaz de produzir o desejo de outra vida, proclamando o valor da própria vida. Lembro-me de uma mulher no filme de Lúcia Murat que, depois de uma sessão de tortura, para se consolar, dizia a si mesma: "Não vou ceder a eles e um dia terei uma filha, que será tão teimosa quanto eu."

---

[3] *Que bom te ver viva*. Direção: Lúcia Murat. Brasil: Embrafilme Distribuidora. (100 min.), color, semidocumentário, 1989.

Teimosia, denúncia e reinvenção da cultura de dominação através de narrativas em que a dor ousa aparecer, não para servir de glória ao herói, mas para denunciar os sistemas de opressão, que, em nome de ideias e da defesa da desordem estabelecida, voltam ao vandalismo primitivo que se imaginava vencido pela civilização.

Voltar à memória, lembrar-se do passado, é estarrecedor quanto ao *conhecimento* que temos de nós mesmas. Na realidade, muitas vezes não aprendemos a partir do que já experimentamos ou do que outros viveram. Sem querer ou de propósito, reproduzimos os mesmos comportamentos que provocaram tantas mortes. No fundo, apenas afinamos nossos julgamentos, nossos instrumentos de tortura, alargamos os espaços de nossas prisões, aperfeiçoamos as formas de dominação pela sedução dos produtos à venda no mercado, usamos outras linguagens para nos iludirmos e nos esquecermos da crueldade de que fomos e somos capazes. Entretanto, bem junto a essa continuidade prisional social sentida, o corpo grita de novo e de muitas maneiras por um novo mundo possível. Por isso, fora os negacionistas, não se pode negar, mesmo não gostando de nosso ativismo, que nós feministas estamos mudando lentamente a cultura, a política, as leis e as religiões. Nossas lembranças servem para gritar de peito erguido: "Tortura nunca mais", "Nenhuma a menos", "Somos todas Marielle", "Nosso país é a Terra".

O feminismo introduziu outras artes reivindicatórias, conferiu outros sentidos à domesticidade vivida e à sua participação na vida social e política. Ainda somos, de fato, poucas gritando de forma pública, mas devemos admitir que os ambientes das políticas patriarcais nos sufocam e nos impedem de ser diferentes, ou seja, de ser o que nós queremos que o mundo seja em nós e nós sejamos no mundo. Por isso, muitas vezes formamos nossos guetos, embora provisórios. Apenas o tempo de um café com um pãozinho quente saboreados juntas e trocando ideias para, em seguida, voltar ao "vasto mundo" como ele é. A partir das lembranças de nossas avós, mães e outras ancestrais, a partir da dor de nossas companheiras vítimas da intolerância patriarcal e a partir de nós mesmas, hoje cantamos e dançamos uma multiplicidade de canções e inauguramos um *feminismo plural*, plural dentro dos continentes, dentro dos países, dentro das cidades e bairros e dentro de nós.

O pluralismo feminista nos habita porque nossa vida é plural e vale a partir de sua diversidade, e não das formas nas quais nos encerraram ou dos modelos que ainda nos dizem ser o da mulher livre. A liberdade patriarcal pré-moldada não é liberdade, não é afirmação de nossa força vital múltipla e criativa. O feminismo nos abre a uma liberdade, sem dúvida também limitada, mas limitada a um querer o bem comum, a uma participação política onde corpos diversos possam ser ouvidos e respeitados. Nossas lembranças contadas testemunham que resistimos porque soubemos desobedecer aos algozes e obedecer aos pequenos passos livres que pudemos dar no cotidiano. Nas lembranças, resgatamos nossos mortos e mortas e, por um artifício mágico de nossa memória, quase sempre expressamos mais o positivo e a beleza de sua vida. É como se a lembrança de nossos mortos e mortas os modificasse, os tornasse apenas aquilo que deles esperávamos. Esse artifício expressa, em meio às suas contradições, a nossa capacidade de reconhecer, até postumamente, que há sempre algo de resgatável na vida humana – mesmo aquela dos horripilantes torturadores, algo que nos faz rir do pó a que sua empáfia e crueldade foram reduzidas, do ridículo de suas ações, como convite a não repetir seus gestos.

Nada se perde, tudo se transforma na força do verbo *lembrar*. E, de repente, no final de minha reflexão sobre esse verbo, fui tocada por um tremor interior, pensando em como seriam as lembranças dos torturadores, dos estupradores, dos que roubaram terras, dos que agrediram e mataram milhares de pessoas, dos que incendiaram matas, dos que promoveram guerras, dos que construíram e mantiveram as câmaras de gás. Seriam torturados por fantasmas assustadores, por calafrios na memória, por culpas e medos de suas próprias crueldades? Viveriam na lembrança o inferno que provocaram no passado? Ou se vangloriam de seus feitos acreditando terem livrado o mundo de impuros, corruptos e mentirosos? Não sei responder com exatidão. Fica a pergunta, para reafirmar a diversidade das memórias, a intensidade dos sofrimentos, os esquecimentos da memória, as múltiplas interpretações possíveis e, finalmente, os limites inerentes ao verbo *lembrar*.

Não há esponja que apague certas lembranças históricas, não há sabão que lave algumas indeléveis manchas de sangue salpicadas no chão da história comum. Por isso, é preciso estarmos atentas ao presente, pois é dele que nasce a matéria-prima de nossas lembranças futuras, é ele que produzirá alegrias ou calafrios que nos invadirão sem permissão. É ele que será a história passada de nossa descendência. É o *presente* que nos garantirá as boas memórias de amanhã, memórias acariciantes capazes de curar feridas, aliviar dores e solidões. É o *presente*, com toda sua riqueza e miséria, a substância atual de fabricação de nossas lembranças futuras.

Lembrar, recordar, fazer memória. Nesses verbos repousa a história humana, a história terrícola, a história cósmica, na qual o ontem, o hoje e o amanhã se entrelaçam, se abraçam e vivem na misteriosa combinação da vida. Lembrar como consciência de nossa interdependência vital e orgânica com todo o universo em transformação constante, pois *somos pó da terra*, somos *pó de estrelas*, somos água, terra, pássaros e animais, somos florestas e mares em evolução, que precisam de ternura e cuidado para seguir sua misteriosa e imensa aventura.

LEMBRAR-SE E NARRAR-SE É SUBVERTER A HISTÓRIA JÁ CONTADA.

REPARARAR

DEBORA DINIZ

"Repare", dizem as nordestinas. O imperativo para convocar a imaginação que passeia por outros cantos. É um mandato verbal para o agora. *Reparar* é também um verbo que me remete à caixa de costura: fazer reparos nas meias furadas, nas roupas esgarçadas, nas bainhas dos outros. É um verbo imperativo sobre o instante e que oferece detalhes a respeito do que precisa para um futuro diferente. É assim o reparar feminista: fazer voltar no instante o que foi espoliado pelo patriarcado.

Não é fácil reparar. Exige mais do que atenção para o que se desimagina como injusto e muito mais do que linha e agulha para costurar marcas do tempo nas coisas. A reparação é um refazer da história, exige apreender o vivido com outros marcos de pensamentos e afetos. Falamos de reparação de Estados nacionais, agentes políticos responsáveis por graves injustiças, como em casos de reparação às vítimas de torturas, perseguição política, feminicídio, genocídio ou encarceramento injusto. Em todo processo de reparação, há histórias de sofrimento e desumanização. Há vítimas, e muitas delas já mortas quando a reparação alcança o instante de reescrever a história e oferecer-lhes reconhecimento. A reparação chega sempre posterior à desumanização, sendo uma disputa sobre que vidas foram injustiçadas e por quem. A reparação feminista mira os efeitos do patriarcado nos corpos e disputa os mecanismos de apreensão nas entranhas do Estado patriarcal, como as cortes nacionais ou tribunais internacionais.

A reparação feminista tem início quando uma mulher se afeta pelo sofrimento de outra. É por esse gesto das escutadeiras que entram em circulação dores ininteligíveis ao patriarcado. "Repare o que viveu esta mulher ou esta menina" é um pedido de silêncio e atenção; é afligir-se. Não é simples executá-lo na intensidade pedida pelo verbo e seu prefixo: re-PARE. Tenho que parar e retroceder naquilo naturalizado pelos marcos hegemônicos de poder – busco subverter as narrativas para reparar em dores anestesiadas. Reparar exige a aparição daquilo que não me foi inteligível em uma primeira aproximação, pois demanda práticas de apreensão que o patriarcado silencia ou esquece. Como Isaltina Campo Belo, personagem que se sentia menino em corpo de mulher, arrisca contar à escutadeira do livro *Insubmissas lágrimas de mulheres*: "neste exato momento, me esforço por falar em voz alta o que me aconteceu. Os mais humilhantes detalhes morrem na minha garganta, mas nunca nas minhas lembranças".[1] Isaltina segredava o que a repa-

---

[1] Conceição Evaristo, "Isaltina Campo Melo". In: *Insubmissas lágrimas de mulheres*. 3ª ed. Rio de Janeiro: Malê, 2016. p. 65.

ração feminista descreveria como um estupro corretivo de cinco homens contra ela. Do estupro, Isaltina engravidou.

E o que seria apreender um sofrimento invisibilizado? Para Judith Butler, "um modo de conhecer que ainda não é reconhecimento, ou que pode permanecer irredutível ao reconhecimento".[2] O exercício ético de apreensão prepara o terreno para novas formas políticas de inteligibilidade e reconhecimento, diz ela. Nem toda apreensão da dor alheia é capaz de gerar rupturas nos marcos hegemônicos de poder para mover a engrenagem da reparação, isto é, o reconhecimento de que houve práticas injustas e de que há vítimas. O patriarcado resiste em nomear suas próprias perversões com nomes únicos – um exemplo é o *feminicídio*. Nomeá-lo com palavra própria, e não simplesmente pelo genérico *homicídio*, é fraturar o patriarcado: *feminicídio* é matança de mulheres por homens que deveriam respeitá-las, cuidar delas ou amá-las. Quando uma apreensão feminista irrompe em meio às opressões, há comoção, um afeto descrito por Judith Butler como resultado da evasão de sofrimentos inesperados ao marco hegemônico de poder. A evasão pode se dar por um poema, um testemunho, uma fotografia, um corpo morto.[3]

---

[2] Judith Butler, "Vida precária, vida passível de luto". In: *Quadros de guerra: quando a vida é passível de luto*. 7ª ed. Tradução de Sérgio Lamarão e Arnaldo Marques da Cunha. Revisão técnica de Carla Rodrigues. Rio de Janeiro: Civilização Brasileira, 2020, p. 21.

[3] As passagens sobre "evasão" são breves em *Quadros de guerra*, vide em particular as páginas 27 e 28. Não há definição para "comoção", sendo um apelo aos afetos coletivos de indignação que podem mover clamores por justiça. A mim, interessa pensar como a evasão move a aflição, um afeto anterior à comoção e que toca singularmente quem escuta o horror da vítima. Para pensar a aflição, sigo a ideia de "afetos cotidianos" de Veena Das (Veena Das, "Cómo el cuerpo habla" [Como o corpo fala]. *Etnografías Contemporáneas*, ano 3, n. 5, 2017, pp. 302-339. Disponível em: <revistasacademicas.unsam.edu.ar/index.php/etnocontemp/article/view/451>. Acesso em: 4 jan. 2022).

Eu me comovi ao ler as cartas da adolescente equatoriana Paola Guzmán Albarracín antes de suicidar-se aos 16 anos.[4] Quando escutei sua mãe, dona Pepita Albarracín, senti uma terrível aflição – era uma mulher em busca de reparação pela morte da filha. Paola ingeriu *diablitos*, venenos à base de fósforo branco. Imagino-a agonizando para morrer, pois tinha consciência dos sentidos da angústia do corpo. Deixou três cartas, uma delas à mãe e duas ao abusador que a violentava na escola. Paola era vítima de estupro, e o agressor era o diretor da escola. À mãe, Paola pediu desculpas *pelo engano*. Sei que era uma quase menina e as palavras juvenis têm seus sentidos em construção. Mas tento entender o sentido de *engano* – não sei se inquietava-se pela gravidez, pelo suicídio ou pela vergonha do que viveu no gabinete do homem poderoso. Dona Pepita rejeita qualquer forma de *engano*: há um vazio pela morte da filha. Ao agressor, Paola deixou uma carta de amor pueril, como fazem as desesperadas pelos afetos abusivos. Se minha tia-avó soubesse escrever, imagino-a em um relato semelhante: cem anos entre as duas mulheres, dois países e culturas diversas, porém um semelhante enredo de agonia pela moral sexual.

As cartas foram usadas no julgamento de reparação à morte de Paola que chegou à Comissão Interamericana de Direitos Humanos. De um lado, os defensores do abusador alegavam que as palavras de Paola seriam a prova de que o sexo fora consentido; de outro, as mesmas palavras mostravam o desamparo em que vivia: "De: tua princesa querida. Para: o homem que amo. Escrevo esta carta porque te amo, apesar de que sempre

---

[4] Comissão Interamericana de Direitos Humanos, informe de fundo, n. 110/18, caso 12.678. "Paola del Rosario Albarracín Guzmán y familiares", 5 out. 2018, p. 10. Disponível em: <www.oas.org/es/cidh/decisiones/corte/2019/12678FondoEs.pdf>. Acesso em: 3 jan. 2022.

me traíste. Isso não me importa, porque eu só queria estar com você." E Paola explica a decisão pelo suicídio: "Meu amor, eu tomei veneno porque eu não podia aguentar tantas coisas que sofria."[5] A disputa interpretativa pelas palavras é também um confronto sobre como apreendemos o suicídio: como um gesto de desamparo pela insanidade ou de desamparo pela violência? O evento trágico resiste a ser apreendido fora de seus marcos de poder – Paola precisa ser uma louca que consentiu com o sexo para que o abusador seja inocentado.

A evasão das cartas, isto é, a fuga do espaço privado de onde foram imaginadas para a circulação pública, nos aproxima de Paola, a testemunha verdadeira da tragédia, aquela que *sucumbiu*, nos termos de Primo Levi.[6] A evasão oferece as condições para uma comoção pública, mas é preciso que as primeiras pessoas a escutarem o horror vivido por Paola tenham se afligido. Afligir-se é inquietar-se, é deslocar-se do marco patriarcal de poder que procura domesticar nossos afetos, até mesmo diante de tragédias como o suicídio de uma quase menina. É pela aflição à dor da outra que rompemos o marco patriarcal, nos comovemos e provocamos novas formas de inteligibilidade às injustiças. Tocadas pela aflição, a mesma carta pueril passa a ser um fragmento da relação abusiva e violenta entre um homem mais velho e poderoso e uma quase menina colegial. A moral sexual nos confunde para o exercício de apreensão da cena, pois os marcos do patriarcado definem as perguntas à tragédia, ou seja, disputam sobre como se conta a história de Paola: "De que morreu Paola?", perguntam os defensores do

---

[5] *Ibidem*.

[6] Primo Levi, *Os que sucumbem e os que se salvam*. Tradução de José Colaço Barreiros. Lisboa: Dom Quixote, 2018.

abusador. De um suicídio por *diablitos*. A reparação feminista parte de outro questionamento: "O que levou Paola ao suicídio?" A gravidez e a criminalização do aborto resultante de uma relação sexual abusiva.

Sem a palavra de Paola e com o silêncio cúmplice dos que sabiam e emudeceram nos anos em que ela foi violentada, como professores e trabalhadores da escola, o corpo passou a ser matéria da prova: era preciso rasgá-lo, vilipendiá-lo em busca da verdade da gravidez. Foi assim que o patriarcado fez sua autópsia de tortura em Paola e exibiu as entranhas da filha a dona Pepita: "O médico me chamou e ao meu lado estava o corpo nu de minha filha, minha filha aberta e os órgãos. Ele disse: 'Senhora (mostrando as mãos), há uma carnosidade, esse é o útero. Não há gravidez.' [...] Eu me pergunto, se sou uma mulher ignorante, como eu posso saber se era ou não uma carnosidade? Não posso saber se era um útero."[7] Talvez não haja cena tão brutal sobre o poder espoliador quanto a de uma matéria apresentada como útero vazio: se inscreve no corpo o desaparecimento da violência. A perícia médica foi considerada duvidosa na investigação realizada pela Comissão Interamericana de Direitos Humanos para a reparação da tragédia.

Imagino a reparação feminista construída dos fragmentos das aflições ordinárias da vida até os grandes eventos das cortes e dos mandatos de conserto da história, como aconteceu com Paola. No caso dela, o Estado equatoriano foi forçado a

---

[7] Debora Diniz e Giselle Carino, "O estupro de uma menina como autópsia do patriarcado". *El País*, 26 jan. 2020. Disponível em: <www.brasil.elpais.com/opiniao/2020-01-26/o-estupro-de-uma-menina-como-autopsia-do-patriarcado.html>. Acesso em: 4 jan. 2022.

A REPARAÇÃO
É UM REFAZER
DA HISTÓRIA.

reconhecer que houve negligência e que existe o dever de prevenir violência contra meninas nas escolas.[8] É preciso remexer as estruturas patriarcais também em suas entranhas. Por isso, curvar o Estado patriarcal a se reescrever é uma vitória das lutas feministas por reparação. Mas antes das cortes há o encontro mulher a mulher que se aflige com a dor vivida pela outra – é a partir dessa movimentação inicial, silenciosa e permanente, que o marco de poder se fratura. A reparação é resultado de uma revolta contra a brutalidade do patriarcado contra as mulheres, é autópsia do silêncio da história.

---

[8] Veena Das faz a diferença entre quase eventos que se "inscrevem na rotina da vida cotidiana", isto é, as aflições e os eventos críticos e catastróficos. Arrisco dizer que toda reparação que alcança as cortes e obriga os Estados nacionais a redimir-se pela virulência é um evento crítico, porém assentado em aflições entre mulheres na vida cotidiana (Veena Das, "Cómo el cuerpo habla". *Op. cit.*, pp. 302-339. Disponível em: <www.revistasacademicas.unsam.edu.ar/index.php/etnocontemp/article/view/451>. Acesso em: 4 jan. 2022).

IVONE
GEBARA

Perguntei a uma vizinha qual era o primeiro significado que lhe vinha à cabeça em relação ao verbo *reparar*, e ela imediatamente respondeu: "É *prestar atenção* a algumas coisas que, no automático, as pessoas não enxergam. Por exemplo, eu reparei que você está usando uma blusa nova, e eu cortei o cabelo e você não reparou." Depois ela disse que o segundo significado era: "*Consertar* alguma coisa. Por exemplo, reparar uma torneira quebrada, ou um liquidificador que não está funcionando bem. Reparar é consertar muitas coisas que se quebram."

Num primeiro momento, eu teria gostado que ela abraçasse o significado da palavra *reparar* que me habitava, sentido mais ligado aos danos não só externos, mas àqueles internos, que nossas relações nos causam e que buscamos restaurar. Porém, ela me pareceu distante dele. É que ela orientava a reparação unicamente para as coisas materiais, e eu estava preocupada com algo talvez mais espiritual, mais de dentro do coração, mais ligado a feridas abertas que moram em nós e que precisam ser curadas. Num instante me senti meio ridícula, pois queria que a vizinha tivesse aproximado o *reparar* do *perdoar* ou o *reparar* do *reconhecer* erros ou dívidas – e compensar de alguma forma os lesados pelos danos causados. Observei que usamos as mesmas palavras com sentidos diferentes, porém com algo comum que os aproxima.

De fato, ela tinha razão. E eu pensava nas agressões mais profundas da vida, que são dificilmente reparadas ou reparáveis, porque atingem a integridade das pessoas, comprometem seu presente e seu futuro. Essa variação de sentidos me convida a pensar e falar do *reparar* no direcionamento que eu gostaria de lhe dar, um sentido mais próximo do perdão e que toca nossas relações e intimidade. É apenas uma tentativa, entre outras, de expressar algo sugerido pelo verbo *reparar* e que poderia talvez *nutrir a esperança feminista*, visto que ela exige transformações reais de comportamento pessoal e relacional.

Nessa excursão pelo verbo *reparar*, primeiro lembrei-me das muitas reparações ou *consertos públicos* de atitudes que feriram e tiraram a vida das pessoas, especialmente de mulheres. Lembrei-me, por exemplo, da reparação que o governo japonês fez a algumas mulheres da Coreia que foram usadas como prostitutas para *conforto* dos soldados durante a guerra entre os dois países. Essa reparação foi feita como fruto da pressão de muitos grupos de mulheres feministas asiáticas e de outras partes do mundo que exigiram uma atitude pública de reconhecimento dos danos causados àquelas mulheres. Assim, foi feito um pedido público de desculpas e oferecida uma reparação financeira às mulheres que ainda estavam vivas.

Depois me lembrei da reparação que alguns países da América Latina deram às vítimas da ditadura militar, reconhecendo os danos que o regime lhes causou, em forma de uma compensação financeira. Da mesma maneira, os governos o fizeram não por vontade própria, mas pela pressão social de muitos grupos. Trata-se de uma *reparação pública de ordem jurídica* marcada por um certo anonimato institucional, algo no meio do caminho entre as leis e a ética, entre a responsabilidade do Estado e as vítimas do próprio Estado. Tudo isso se situa num nível importante, tanto de relações nacionais quanto internacionais, porém ainda não chega ao lugar do qual eu gostaria de me aproximar.

Tentando expressar-me de forma simples e direta, gostaria de partilhar com vocês algo que vou chamar de *reparação interior* ou *perdão interior*, difícil de ser compreendido sem uma explicação mais ampla. A imagem que me vem é a de que, depois de muitas agressões e violências sofridas, somos como um vaso que se quebrou e, ajudadas por outras companheiras, tentamos colar os cacos de diferentes formas. Podemos até chegar a fazer uma colagem bem-feita exteriormente, de modo que nem se percebam as mínimas rachaduras internas, que, entretanto, ainda persistem. Essa imagem pode ser transportada analogicamente para nossa vida. A colagem dos cacos nunca restaura o vaso a como era antes. Por isso vale a pergunta: *O que vive o sujeito agraciado pelo direito público em relação à questão do perdão interior?* Ou, de outra forma: *Como o direito público sana nossas feridas interiores, as marcas que ficam no nosso corpo interno, naquele corpo que nem sempre é visto a olho nu?*

Penso que a lei não sacia nem reconforta profundamente o coração da vítima. A retribuição financeira ou a prisão do infrator não alivia o coração. Prender o agressor não sana a agressão e não produz perdão. Há uma dimensão profunda em nós que esquecemos e que toca a nossa interioridade, tão importante quanto o bem-estar externo. Pensei numa mulher, moradora de uma favela no Rio de Janeiro, cujo filho, ainda criança, fora assassinado pela polícia em uma das violentas caças aos chamados *bandidos*. Quando perguntada sobre o que esperava naquele momento, chorando, ela dizia: "Eu quero justiça! Eu quero justiça!" Não sabia dizer que tipo de justiça esperava. O que seria a justiça que queria? Balbuciando entre lágrimas, ela dizia: "Ninguém vai trazer meu filho de volta!" Mas continuava pedindo justiça. Seria essa justiça uma reparação? Mas de que tipo? Seria uma soma em dinheiro? Uma casa? Uma pensão vitalícia? Quem proporcionaria isso? Seria o Estado que, em princípio, deveria proteger os cidadãos e as cidadãs, embora ele mesmo tenha sido o autor da violência? As perguntas devem ficar em aberto por enquanto, mas provocar nosso pensamento emocional.

Penso que nos enfrentamos com a velha questão da incompreensibilidade do mal nas suas diferentes formas, e especialmente na sua forma política e pessoal/emocional. Como fica o sujeito afetado? Como fica a mulher que perdeu o filho? Ou, como fica a mulher agredida pelo companheiro quase até a morte? Ele, vítima do álcool e das drogas, desforrando nela sua raiva da vida: tem algum *reparo*? Ou, ainda, como fica aquela mulher que sofre continuamente a agressão das palavras e o inferno da convivência não desejada?

Embora nosso verbo seja *reparar*, estamos diante da incontornável questão do mal humano nas suas diferentes expressões pessoais e coletivas. Para reparar, há que ter consciência da agressão, há que reconhecer agressor e agredida, há que julgar – e, para julgar, há que condenar e inocentar. Quem é o justo e quem é o injusto, quem é o injustiçado e quem é o autor da injustiça? Mais uma vez esse verbo se mistura a muitos outros, como para indicar a interdependência e a complexidade de todos os aspectos de nossa vida. Uma lógica alternativa do *ou* se é inocente, *ou* se é culpado parece ser cada vez mais insuficiente, mesmo quando temos que admitir nossa responsabilidade pessoal em nossas ações.

Para *reparar*, tenho que sentir e gritar minha indignação, e gritá-la de muitas formas: *É injusto! Não aceito! Justiça!* Só depois posso começar a exigir reparação. Onde mora a reparação? Quem se beneficia dela?

O filósofo Paul Ricoeur nos lembra de que formamos nossas concepções de injusto e justo desde a infância.[1] É quando nos damos conta, por exemplo, da distribuição injusta de um bolo, do não cumprimento de uma promessa, de uma mentira nas relações, de uma surra não merecida, de um castigo para além da matéria cometida, da traição de um amigo num jogo qualquer, da falta de comida na mesa quando a fome era grande. Tudo isso educa-nos para a indignação. Ela provém de nossos próprios meios de socialização, de nossos sofrimentos nos diferentes meios em que transcorreu nossa educação. Por isso, as vivências de nosso *eu* são centrais na construção dos sentidos, do sentimento de indignação e das possibilidades de reparação. Nós nos damos conta de que fazer justiça com as próprias mãos ou buscar o direito e as leis vigentes para sanar

---

[1] Paul Ricoeur, *O justo: a justiça como regra moral e como instituição*. v. I. São Paulo: WMF Martins Fontes, 2009.

um problema, embora seja fundamental, guarda sempre a marca da incompletude, da incerteza, da dúvida interior. O justo e o injusto não têm a objetividade que a ciência do direito pretende lhe atribuir. E isso porque nossas subjetividades conflitam com nossas motivações pessoais, com emoções e crenças que põem em dúvida a pretensa objetividade da lei.

Introduzo agora de novo o lugar de sanação, da reconciliação, que chamei de *perdão*. Quero falar do perdão para além das categorias religiosas que apelam para o perdão supremo de Deus. Busco algo na etimologia da palavra *perdão*: é *per-donum*, ou seja, *através do dom*. Já de imediato entramos em terreno difícil de apreender. Através do dom, quem possuirá essa misteriosa dádiva que produz algo especial, capaz de reparar o que está quebrado em nós? O que seria esse dom e em quem surtiria efeito? Aqui estamos em terreno que foge das leis e do direito. Foge dos aspectos jurídicos e das pequenas querelas interpessoais através das quais apontamos o dedo para o outro que julgamos culpado. Estamos no terreno dos sentidos da vida, da força necessária para continuar a viver depois dos golpes recebidos.

O que seria esse dom, essa dádiva recebida, esse presente sanador? Seria esse *dom* algo parecido com o esquecimento, a partir do qual o esquecer nos ajudaria a não cultivar mágoas e rancores? Ou um estado em que nossos antigos medos e calafrios em relação à trágica situação vivida não voltariam jamais? Creio que *não*, pois essa proposta foge de nossas possibilidades reais de vivência e previsão. Seria, então, um ato voluntarista, quase religioso, que me permitiria não guardar mais mágoas e cicatrizes dos golpes recebidos? Creio que também não.

O fato é que nós inventamos a palavra *perdão* porque encontramos nela uma possibilidade de *reparar algo em nós*, um horizonte de vida extraordinário, embora de explicitação e vivência complexas e difíceis. O dom é, em primeiro lugar, um *dom que oferecemos a nós mesmas*. Dom é algo que não pode ser comprado nem vendido. É uma dádiva, é um benefício dado e recebido em primeiro lugar por nós, por nossa pessoa à nossa pessoa. Parece difícil oferecer esse dom a nós mesmas. Mas é isso mesmo que estou afirmando. É quase heroico, porque o mais epidérmico e o mais visceral em nós talvez seja o ódio, a vontade de vingança, a raiva do outro que se retroalimenta em nós. A vontade imediata é agredir, esmagar, matar. E, se o fazemos, vem a *culpa*, diferente daquela do agressor: uma culpa ou um remorso, ou ainda a pena, da imagem perdida de nós mesmas. É como se tivéssemos experimentado a *queda de nossa imagem* anterior sem pensar que as feridas são a nossa condição humana. É como se descobríssemos nossa própria maldade estampada em nosso rosto, que respondeu à agressão agredindo. E não temos resolvida a nossa dor.

Não somos pedras, mas humanos, e os humanos ferem os humanos e sofrem com a ferida causada. Minha pessoa e minha imagem são sempre feridas por alguém, e até por mim mesma. Não há como fugir dessa realidade e inventar seres humanos que evacuam a dor e a violência de seu cotidiano, seres humanos angélicos, imaginários, idealizados. É real o desejo de impor um castigo ao outro que me faz – ou nos fez – sofrer. Porém, a concentração na mágoa, na raiva, e as lembranças das agressões recebidas são destrutivas e, portanto, opostas ao movimento do dom. Elas não podem ser esquecidas, é verdade. Entretanto, as trágicas lembranças que, talvez, simbolicamente, ainda estejam sangrando não devem ser alimentadas. Há que estancar o sangue por meios, talvez, provisórios, e, segundo os métodos usados, não se pode arrancar a tênue pele que vai se formando na cicatrização, pois perde-se sangue e vida de novo. Não se pode continuar sofrendo da agressão outrora recebida. Mantê-la seria continuar uma forma de masoquismo e dar-lhe uma importância que não nos liberta.

Não reforçar o golpe recebido é oferecer um dom a si mesma. Isso significa que, embora não nos esqueçamos do mal que nos foi feito, não queremos nos submeter emocionalmente a ele. Por isso o perdão é um dom, um presente que damos primeiro a nós mesmas, porque através dele não nos submetemos à agressão de que fomos vítimas. Perdoar-nos é acolher-nos dentro dos limites de nossa circunstância e dar um passo adiante. Não posso e não devo esquecer o mal do qual fui vítima e/ou autora. O dom a mim é primeiro o *reconhecimento* dos limites da vida, o reconhecimento de minha vida precária sujeita às intempéries do clima humano sempre imprevisível, um clima do qual sou sujeito e objeto ao mesmo tempo, neste preciso momento que se chama hoje. A aceitação da turbulência que nos constitui não me restitui o amor ao outro do qual fui vítima, mas *me restitui à minha condição humana* de buscar o encontro comigo mesma e apostar em minha vida e em outras relações. Ela me restitui à minha condição humana, na medida de meus próprios limites, e inclusive de minha capacidade de tornar o outro, a outra, também vítima.

O ódio que senti em relação ao outro, outros sentiram em formas e medidas diferentes em relação a mim. O ódio e o amor não me são estranhos, são de mim mesma, são frutos da evolução cósmica e antropológica na qual somos e convivemos, apesar de nossos processos de socialização e evolução específicos. O dom a mim mesma é a consciência da gratuidade de que posso e devo seguir a vida sem querer ser a lei que julga o outro no nível de minha pessoalidade. Esse comportamento acontece para além da condenação jurídica de um crime, para além da declaração religiosa de pecado, para além do cultivo da raiva que vive em mim.

Estamos no nível da *construção de nossa interioridade*, e é aí mesmo que mora a possibilidade do dom a nós mesmas, *do perdão*. Porém, como se fará isso? Não basta um monólogo interno, dada a relacionalidade de nosso ser. Não saio dessa situação enredada em mim mesma. Alguém deve me ajudar a reparar a mim mesma. Estamos no nível *do tratamento do si mesmo como outro*, no nível da construção dialógica de si para além da mesmidade que conheço e de minhas impossibilidades declaradas. O outro que me ajuda a realizar o dom a mim mesma é aquela ou aquele que busco para tal, como no caso da agricultora que ajuda as companheiras estupradas a se reencontrarem como pessoas, a ultrapassarem o ódio imediato, a violência do revide que não apazigua, mas, ao contrário, incita a resposta violenta, inclusive contra a pessoa mesma.

É a *amizade*, no sentido amplo, que realiza a aproximação, o intercâmbio, que me abre a um outro tipo de diálogo comigo mesma. Aqui não é a justiça mediada pela instituição jurídica que se realiza, mas *o perdão*, ou seja, o dom para continuar a vida, que o rosto amigo pode me ajudar a encontrar. Aqui as relações não são simétricas, porque não é o amigo que fará justiça, mas o amigo me ajudará a reencontrar o valor de minha vida, de seguir adiante, de buscar caminhos novos, de acolher o dom da vida em mim. Curiosamente, no dicionário de significados descobri que a palavra *amizade* etimologicamente se aproxima das palavras *amor* e *anima* (*alma*), indicando que a amiga ou o amigo é o guardador, o cuidador da alma. Em inglês, *amigo* é *friend*, ligado à palavra *free* (*liberdade*); *amizade* é *friendship*, para indicar a pessoa que me ajuda a ser livre. A vivência da liberdade é, pois, um ato coletivo fruto da atividade e do dom da amizade.

É muito limitada a vida de quem permanece vítima de uma violência, de um crime ou até de um acaso infeliz. Só se sai dessa situação através da relação com outros que podem me ajudar a nascer de novo para mim mesma. É esse ato que se chama *perdão*, um ato novo, algo que vem através do dom da vida, de querer renascer de situações trágicas. É um dom dado de novo a mim mesma e, de certa forma, também por mim mesma, porque preciso querê-lo e buscá-lo. É bom lembrar, embora rapidamente, que, no *cristianismo*, o perdão é dado por Deus, ou seja, em termos contemporâneos feministas, pela Força Vital que ressuscita a vida em nós. Assim, o perdão tem relação conosco, e não com quem pecou contra nós. Em outros termos, meu perdão não se dirige ao ato imperdoável, ao assassino, ao violentador, como se quisesse eu mesma resgatar a sua vida, apesar das muitas feridas que subsistem em mim. O perdão é para mim, é o dom, o presente que me dou, ajudada pela amizade de outras pessoas. E por isso minha vida é, de certa forma, resgatada, reconfortada, reparada. Eu me absolvo daquele incidente para seguir a vida adiante. Peço ajuda de alguém para que isso aconteça. Permito que minha respiração vital se refaça, que minhas forças sejam *reparadas*, sanadas e revigoradas.

Muitas feministas têm trabalhado com mulheres agredidas na dimensão do perdão e da reconciliação como um processo subjetivo, mas com incidência social mais ampla. Do ponto de vista subjetivo, damos uma nova chance para nós mesmas, não somos mais massacradas pela falta dos outros sobre nós, e cantamos juntas: "Apesar de você, amanhã há de ser outro dia", porque queremos viver uma vida boa sem esse peso contínuo sobre nós. A consciência do prejuízo que impomos uns aos outros por nossas ações violentas ou mentirosas, ou omissas, ou por nossos roubos, não pode ficar apenas restrita ao aspecto legal – sem dúvida importante, porém não necessariamente sanador. O *per-donum* através do dom entra como o bálsamo capaz de me reconciliar comigo mesma, reconciliar-me comigo por ter recebido um golpe inesperado ou perdido uma batalha que julgava previamente ganha. Fica a cicatriz como lembrança, mas já não dói mais como antes.

Essa cura não restaura, necessariamente, a justiça social no nível mais amplo, mas abre uma chance para uma vida melhor, ao menos para a vítima em busca de ajuda. Passar a querer uma vida melhor é um dos passos fundamentais para reparar as feridas, que, embora possam ainda estar abertas e com curativos provisórios, me permitem passos em favor de mim e das outras. Trata-se de uma sabedoria vivida na *prática do possível*, e não de ideais de perfeição, que tornam qualquer vida sofrida impossível de ser revalorizada. Trata-se de querer viver com mais qualidade de vida, abrindo-se para uma responsabilidade social mais afinada com a história real de nossa vida. *Per-donum* é um caminho de reparação e reconciliação possível, é caminho de esperança tornada real através do verbo *reparar*, conjugado por muitas mulheres em todos os tempos e formas.

PERDOAR-NOS
É ACOLHER-
-NOS DENTRO
DOS LIMITES
DE NOSSA
CIRCUNSTÂNCIA
E DAR UM
PASSO
ADIANTE.

RECRIAR

DEBORA
DINIZ

"Nós, as filhas dos homens instruídos", escreveu Virginia Woolf.[1] Muitas de nós não somos filhas de homens instruídos, ou sequer sabemos de que homem somos filhas. O que sabemos é que somos filhas de gerações de mulheres, a maior parte delas com instrução desvalorizada pelos homens. Somos herdeiras da sobrevivência de cada mulher ao patriarcado; comadres, irmãs e vizinhas geracionais de meninas e mulheres vulneráveis à misoginia.[2] Nossas antepassadas viveram e nomearam o feminismo para que nós,

---

[1] Virginia Woolf, *As mulheres devem chorar... ou se unir contra a guerra. Patriarcado e militarismo*. Organização, tradução e notas de Tomaz Tadeu. Posfácio de Guacira Lopes Louro. Belo Horizonte: Autêntica, 2019. p. 99.

[2] Mulheres indígenas brasileiras se nomeiam "comadres"; mulheres negras costumam descrever-se como "irmãs"; mulheres com deficiência se reconhecem como "atípicas". No feminismo latino-americano circula a expressão "vizinhas feministas", que, inclusive, é o nome de uma coalizão feminista de mulheres jovens.

suas desconhecidas crias, o recriássemos. É nossa responsabilidade a eterna recriação do feminismo.

Virginia Woolf chegou a pensar se haveria uma universidade para que as filhas dos homens instruídos aprendessem outras verdades sobre o mundo, onde fossem capazes de pensar como se opor à guerra, uma das expressões mais vorazes dos homens para a destruição. A universidade deveria ser pobre e barata, de material de fácil substituição, pois não deveria haver espaço para tradições. "Não tenham capelas. Não tenham museus e bibliotecas com livros acorrentados e primeiras edições trancadas em armários envidraçados", detalhou. A universidade ensinaria "não a arte de dominar outras pessoas; não a arte de mandar, de matar, de acumular terras e capital". As filhas dos homens instruídos deveriam ir às salas de aula para aprender a "arte das relações humanas", e as professoras seriam escolhidas "tanto entre as pessoas que sabem viver quanto entre as que sabem pensar".[3]

Depois de descrever a universidade como pobre e transitória, Virginia Woolf desfez a utopia. Ela imaginou os filantropos da proposta a lhe fazerem perguntas sobre sucesso, empregos ou salários para as filhas dos homens instruídos. Ela mesma incendiou o sonho da universidade: "Ateiem fogo às velhas hipocrisias", sentenciou. Com o prédio em chamas, as filhas dos homens instruídos dançariam ao seu redor, e das janelas do andar de cima as mães gritariam: "Deixem que arda! Deixem que arda! Pois estamos fartas desta 'educação!'"[4] A geografia das

---

[3] Virginia Woolf, *As mulheres devem chorar... ou se unir contra a guerra. Patriarcado e militarismo.* Op. cit. pp. 88-91.

[4] *Ibidem*, p. 94.

gerações e dos privilégios se entrelaça nesta imagem: mães e filhas se uniam em corpo à celebração de novas mentiras do patriarcado sobre como educar as mulheres. As mães no andar de cima do prédio em chamas, as filhas ao redor da fogueira, como faziam as bruxas. O feminismo civilizatório deixou quase todas nós fora da cena: no sonho em chamas, só cabiam as "filhas dos homens instruídos". As filhas das operárias ou as filhas das ex-escravizadas nas colônias, as que limpariam a universidade pobre e transitória das mulheres filhas dos homens instruídos, sequer foram imaginadas como participantes da utopia.

Os antolhos raciais e classistas são evidentes para nós, mulheres insistentes na decolonialidade do feminismo. Recriamos o feminismo, ele se fez interseccional, um processo permanente da complexidade de quem somos e da luta contra as formas de opressão. Na transição intergeracional feminista, há sempre aprendizados das que nos antecederam e deslumbramento para as que surgem. Releio a utopia da universidade pobre e transitória em que tanto as mulheres que "sabem viver e as que sabem saber" seriam professoras, e depois de me frustrar por minhas antepassadas não terem sido imaginadas celebrando o incêndio, me aquieto. Retorno às aspas deixadas por Virginia Woolf em "educação". A educação recriadora do feminismo jamais foi a financiada pelo patriarcado para garantir a sua reprodução. Eu me reconcilio com a clarividência de Virginia Woolf de furar seus próprios antolhos – não seria o patriarcado a nos libertar e, menos ainda, uma sala de aula exclusivamente, mesmo que pobre e transitória. Mas se não está nas escolas a utopia da recriação feminista, onde estaria?

A utopia feminista se faz nas cozinhas e nas canções, nas ruas e nos acalentos. Pode até estar em sala de aula, mas não há espaço privilegiado para a recriação feminista do mundo. Em minha ontologia imaginada, o feminismo se recria no gesto de encontro de uma mulher com outra, seja para o cuidado uma a uma ou para as alianças coletivas. Retorno, mais uma vez, à alegoria do prédio em chamas e me inquieto com a imagem das mães ardendo e as filhas festejando ao redor. Talvez porque assim vivemos as gerações no feminismo, as de antes e as do depois se somam no agora, e nossas posições na recriação feminista são únicas, porém solidárias. É o símbolo da fogueira, o mesmo que marcou um capítulo terrível da história religiosa católica contra as mulheres, o que une o encontro entre as gerações. Por que as mães estariam dentro da torre e as filhas, fora? Porque a esperança feminista pede que nossas utopias sejam cada vez de maior libertação às mulheres, por isso é sempre intergeracional para crescente insubordinação. Aprendemos com as mulheres com quem convivemos em nosso tempo histórico, aprendemos com os legados escritos ou de memória oral daquelas que vieram antes e ampararam nossa existência como feminista.

Uma peça memorável para a recriação feminista foi o manifesto publicado pelo Coletivo Combahee River, nos Estados Unidos, em 1977: "Ninguém antes de nós examinou a textura multifacetada da vida das mulheres negras." Na história do feminismo negro da geopolítica do Norte que se seguiu, as autoras desse manifesto já estariam no topo da torre celebrando a insurgência de suas crias. Os sistemas de opressão estão "entrelaçados", diziam elas, e "A síntese dessas opressões criam as condições de nossa vida".[5] São condições in-

---

[5] O Coletivo Combahee River foi formado por feministas negras e lésbicas estadunidenses nos anos 1970. Seu manifesto demonstrou a interconexão entre diferentes sistemas de opressão na vida da mulher negra e é considerado uma refe-

justas de sobrevivência que determinam quem são as filhas dos homens instruídos, de quem a vida deve ser cuidada e protegida, e quem são as filhas de outros, cujas vidas podem ser espoliadas ou matadas. A utopia da libertação exigiria a "destruição dos sistemas político-econômicos capitalistas e imperialistas, bem como do patriarcado". Não seria só a torre da faculdade utópica que queimaria, mas outras torres dos poderes de mandar, matar, acumular e venerar. Suas crias tomaram seriamente as palavras de "Deixem que arda!" e passaram a falar de interseccionalidade, multidimensionalidade ou fratura, existências anfíbias, hermenêutica dos cruzamentos, tramas ou encruzilhadas, para expressar o entrelaçamento dos sistemas de opressão aos corpos racializados dentro do feminismo.[6] Foi a própria gênese do feminismo civilizatório que passou a arder.

---

rência para as reflexões sobre interseccionalidade que se consolidariam na década seguinte. A tradução em língua portuguesa de *interlocking* optou por *interligados*. Queria insistir em *entrelaçados*, pela referência à ideia de trama com nós apertados que atravessa a vida das mulheres negras (Coletivo Combahee River, "Manifesto do Coletivo Combahee River". Tradução de Stefania Pereira e Letícia Simões Gomes. *Plural. Revista do Programa de Pós-Graduação em Sociologia da USP*, São Paulo, v. 26, 1, 2019, pp. 197-207. Disponível em: <www.revistas.usp.br/plural/article/view/159864/154434>. Acesso em: 4 jan. 2022).

[6] Kimberlé Crenshaw, "Documento para o encontro de especialistas em aspectos da discriminação racial relativos ao gênero". Tradução de Liane Schneider. *Estudos Feministas*, v. 171, ano 10, 2002, pp. 171-188. Disponível em: <www.scielo.br/j/ref/a/mbTpP4SFXPnJZ397j8fSBQQ/?format=pdf&lang=pt>. Acesso em: 4 jan. 2022; Françoise Vergès, *Um feminismo decolonial*. Tradução de Jamille Pinheiro Dias e Raquel Camargo. São Paulo: Ubu, 2020; Rita Segato, *Contra-pedagogías de la crueldad*. Buenos Aires: Prometeo Libros, 2018; María Lugones. "Colonialidade e gênero". In: Heloisa Buarque de Hollanda (org.). *Pensamento feminista hoje: perspectivas decoloniais*. Rio de Janeiro: Bazar do Tempo, 2020. pp. 68-117; Carla Akotirene. *Interseccionalidade*. São Paulo: Sueli Carneiro; Pólen, 2019.

Semelhante utopia antissistema inspirou Cinzia Arruzza, Tithi Bhattacharya e Nancy Fraser a escreverem o manifesto *Feminismo para os 99%*. A genealogia entre os dois manifestos é explícita para as autoras que dedicaram o livro ao Coletivo Combahee River. Quem são os 99%? Todas nós, os corpos atravessados por diferentes formas de opressão e estranhamento sobre quem somos: corpos racializados, pobres e trabalhadores, periféricos, com formatos e atipicidades fora da norma hegemônica, com desejos e prazeres estranhos ao patriarcado colonial.[7] O feminismo combativo imaginado pelo manifesto dos 99% não se realizaria em salas de aula utópicas como a de Woolf, mas nas marchas dos corpos nas ruas. A marcha é um momento de greve ao trabalho das mulheres – elas interrompem os deveres de cuidado produtivo e reprodutivo e se lançam como corpos em assembleia pelas ruas; ocupam pacificamente o espaço dominado pelo patriarcado com suas táticas de intimidação e violência. Pelas marchas, o feminismo combativo se "torna uma fonte de esperança para a humanidade", suavizando as fronteiras entre os feminismos: corpos atravessados por diferentes opressões e necessidades, que as marchas aproximam.[8] O manifesto dos 99% é também dedicado às grevistas feministas argentinas e polonesas que, insistentemente, ocupam as ruas.

Eu já havia marchado muito no Brasil: pelas Diretas Já, como cara-pintada, depois, uma vadia.[9] A emoção dos corpos em

---

[7] Cinzia Arruzza, Tithi Bhattacharya e Nancy Fraser. *Feminismo para os 99%: um manifesto*. Tradução de Heci Regina Candiani. São Paulo: Boitempo, 2019.

[8] *Ibidem*, p. 42.

[9] A Marcha das Vadias é uma manifestação iniciada em 2011, pelo direito de as mulheres se vestirem e se comportarem como quisessem.

assembleia pelas ruas é uma experiência de encantamento duradoura. Assim foi quando caminhei pelas ruas de Buenos Aires em agosto de 2018, quando milhões de meninas, mulheres e gente diversa marchava pela lei do aborto. Eram gerações que se encontravam, aproximando os corpos para compor uma multidão. Uma *onda verde*, como se descrevem as que carregam o lenço verde pelo corpo, tomava os cantos escondidos da cidade. O símbolo do lenço já foi a fralda dos filhos torturados e desaparecidos pela ditadura militar argentina, e cobria os cabelos das mães e avós da Praça de Maio.[10] Se no passado elas foram umas poucas que, em silêncio e valentia, se postavam em frente à sede do poder torturador para buscar informações sobre os filhos desaparecidos, quatro gerações depois se reinventaram nos corpos das netas no formato de milhões.

A nova lei do aborto foi aprovada na Argentina dois anos depois desse memorável dia. Novamente a onda verde se formou, fez vigília e celebrou a mudança da lei. As imagens da multidão verde pelas ruas ganharam o mundo: quem assistia a ela de longe inquietava-se pela cena – pois o que elas celebravam? Elas celebravam uma ruptura no poder patriarcal que é a criminalização do aborto. Era uma vitória pela vida dos corpos que gestam. Até mesmo na linguagem da nova lei, a utopia feminista havia entranhado-se: corpos que gestam, e não apenas a essencialização do gênero de fêmeas e mulheres. As avós da Praça de Maio, que primeiro usaram

---

[10] Giselle Carino, "Argentina legalising abortion is a victory for women over the abuse of political power" [A legalização do aborto pela Argentina é uma vitória das mulheres sobre o abuso do poder político]. *The Guardian*, 5 jan. 2021. Disponível em: <www.theguardian.com/commentisfree/2021/jan/05/argentina-legalising-abortion-women-political-power>. Acesso em: 5 jan. 2022.

os lenços brancos para anunciarem seu corpo em assembleia pelas ruas, não antecipariam como suas crias atualizariam o símbolo de luta para uma das questões mais centrais ao feminismo, como é a descriminalização do aborto. Talvez, as avós do lenço branco sequer se convocassem como feministas em seu próprio tempo, mas seus gestos de bravura contra o poder torturador e patriarcal são o feminismo que nos antecede e que animará quem nos segue.

Retorno à utopia incendiada de Virginia Woolf e posiciono as avós de lenço branco nos andares superiores da torre em chamas, gritando "Deixem queimar!", enquanto suas filhas e netas de lenço verde celebram pelas ruas. Não sei se as mulheres herdeiras dos homens instruídos do passado marcham pelo feminismo. Como uma das crias em recriação, me interessa mais escutar e mirar as nossas antepassadas que, do alto das torres e dos escondidos das cozinhas, teceram as tramas para afrouxar os laços das múltiplas opressões em nosso corpo. Para recriar, é preciso a alegoria da torre em chamas, pois o feminismo não deve buscar sistemas de mando, matança, acúmulo ou veneração – os verbos de aprendizado a serem ignorados na faculdade imaginada por Virginia Woolf. A transformação dos poderes opressivos ganha o status de utópico não por ser impossível, apenas por ser inimaginável ao patriarcado. É da imaginação feminista que surgem os manifestos, os grupos de consciência, as greves e as multidões. É no anonimato dos corpos em assembleia que as feministas são filhas de várias mães, e comadres, irmãs e vizinhas de muitas outras mulheres.

É NOSSA
RESPONSA-
BILIDADE
A ETERNA
RECRIAÇÃO DO
FEMINISMO.

IVONE
GEBARA

Fiquei me perguntando se havia algo de específico na formação do verbo *recriar*, que significa *criar de novo* a partir de algo que já existe. Percebi que o mais chamativo nele era a partícula *re*, e era nela que eu deveria me fixar num primeiro momento. Entendi o quanto essa partícula *re* é parte integrante da vida e toca não só o universo humano, mas a complexa dinâmica da vida do nosso planeta. O *re* indica sempre dinamismo, movimento, um contínuo e recomeçado ciclo de vida, que se inscreve num planeta vivo em evolução. *Re*criar, *re*novar, *re*nascer, *re*formar, *re*apresentar, *re*lembrar, *re*ver, *re*ler, *re*escrever, *re*tomar, *re*conhecer, *re*avivar: como se essa partícula nos *re*-afirmasse a sempre renovável dinâmica da vida em nós. É que a cada momento, a cada dia, a cada ano nos recriamos, nos modificamos, renascemos de alguma forma não só como indivíduos, mas como planeta e além dele.

No fundo, criar é sempre recriar. Toda nova criação provém de algo, e o algo, de outro algo, como se a própria vida quisesse mostrar sua fundamental interdependência e convidar-nos a uma atitude de reverência à própria força recriativa que nos habita. Por um lado, podemos observar esse processo no mundo físico. Onde hoje há desertos, havia mares; onde há pedras redondas banhadas por um lindo mar, havia antes pedras pontiagudas que foram lentamente esculpidas, alisadas e recriadas pelas ondas. No mundo humano não é diferente. Estamos em contínuo processo de recriação, e, se assim não fosse, pereceríamos em vida, enrijecidos pelas couraças ou pelos conceitos que construímos para nós mesmos.

Tudo se recria num contínuo movimento de vida e morte, incluídos no verbo *recriar* como processos intimamente ligados, inseparáveis. A morte de coisas, de pessoas, de instituições, de comportamentos, de governos se torna necessária para que o vigor da vida irrompa nas instituições, para que se recrie em novas formas e segundo novas necessidades. Por essa razão, muitas culturas celebram o ano novo solar ou lunar como símbolo de reverência à absoluta necessidade da reinvenção. De forma similar, isso acontece em muitas religiões. No cristianismo, por exemplo, o menino Jesus simbolicamente nasce a cada ano na época do Natal. Velhos, adultos e crianças fiéis se encantam diante da manjedoura como convite para renascermos, renovando nossas chances de sermos melhores, de começarmos algo novo em nossa vida.

Mas, para renascer, algo tem que morrer. Talvez nossa ganância, nossas prisões; uma forma de governo do mundo, uma desavença, um ódio. No cristianismo a morte recria. O crucificado morto nos abre para a espera de sua ressurreição ou recriação simbólica no mundo como uma nova chance de vida, para que não nos crucifiquemos uns aos outros ou às loucas paixõesególatras que nos acometem. Qual fênix renascendo das cinzas, o ressuscitado toca nossas entranhas para que deixemos de lado nossas cobiças destrutivas e retomemos uma vida digna pessoal e coletivamente. Por isso, as celebrações são públicas e coletivas, assim como seus desejados efeitos.

A nova vida é sempre de novo exigida quando as forças da morte, de variadas tessituras, se tornam insuportáveis em todos os níveis da vida social, política e pessoal. Do ponto de vista social, as manifestações contra regimes opressores e as denúncias contra arbitrariedades, contra as múltiplas formas de violência contra mulheres e raças subalternizadas sinalizam a morte que declaramos a essas situações.

A morte em curso desses processos de aviltamento contra os quais lutamos afirmam a urgente necessidade de recriar formas de convivência humana. O recriar é também vivido no miúdo da vida, e toca o bem e o mal que fazemos individualmente, embora queiramos acentuar mais o bem. Pessoas doentes, ao se curarem, recriam nova vida; arbustos e plantas, às vezes, quando são replantados ou bem podados, recriam vitalidade. A gente também recria histórias de outras pessoas, sobretudo as esquecidas pela história oficial, para abrir nossa memória a acontecimentos que a violência imposta nos fez esquecer.

Contamos pequenas histórias sobre prisioneiras anônimas, doentes, crianças e velhas abandonadas, jovens em conflito com a lei, imigrantes. E também sobre o pequeno jardim que lembrava nossa infância e aquele cachorro amigo que nunca nos abandonou. *Recriar* é o verbo que indica uma tentativa de renovar a força vital das pessoas, dos animais, das plantas, da terra e do ar. É possibilitar que se regenerem, que sua força vital seja restaurada na medida em que as agressões sofridas os levaram à beira do fenecimento. Depois das muitas queimadas em alguns biomas, foi preciso limpar o solo, replantar e recriar a mata.

O fato é que não basta falar de recriação. É preciso torná-la possível e vivê-la, para que realmente se realize em nós. E, para vivê-la, há que passar por árduos processos de transformação, há que sentir a dor, o abandono e a necessidade de sair dela, há que sentir a ferida até a alma, como prisioneira ansiando por liberdade.

Pensando no verbo *recriar*, muita gente fez aparição em meu pensamento. Pensei em Carolina Maria de Jesus no seu livro *Quarto de despejo*, a partir do qual ela recria sua história e realiza sua vocação de escritora.[1] Pensei em escultores conhecidos e desconhecidos do nordeste do Brasil cujas mãos amassando a argila criavam e recriavam sua vida e sua arte. Lembro-me, por exemplo, dos trabalhos de Mestre Vitalino no Alto do Moura, em Caruaru, representando os retirantes, os camponeses, as festas juninas. Lembro-me dos trabalhos em palha de carnaúba de muitas mulheres do Cariri, dos bordados das mulheres do Ceará e de Pernambuco, e muitos outros e outras que são expressões culturais bem pouco valorizadas pela elite de nossa sociedade.

---

[1] Carolina Maria de Jesus, *Quarto de despejo: diário de uma favelada*. São Paulo: Ática, 2019.

Foram tantas as figuras que irromperam em minha lembrança, que sinto necessidade de nomear uma, por minha situação no cristianismo. Trata-se de Marguerite Porete, uma literata medieval, depois proclamada grande mística francesa. Foi queimada viva pela Inquisição nascente na época, por suas críticas ao sistema oficial e a conteúdos machistas propagados pela Igreja católica. Depois de um período de submissão às normas rígidas de comportamento que a Igreja impunha às mulheres, ela viveu um processo de recriação pessoal/coletiva.

Um de seus livros, a peça teatral *Espelho das almas simples e aniquiladas e que permanecem somente na vontade e no desejo do amor*, retrata uma conversa entre o Amor, a Razão e a alma (uma mulher). A alma/mulher resolve se despedir das virtudes cristãs pregadas pela Igreja, porque elas a distanciavam dela mesma e do amor que buscava. Reproduzo não literalmente algumas de suas afirmações para mostrar-lhes algo da recriação que vivia: "Virtudes, eu me despeço de vocês para sempre. Serei e sou mais livre e alegre sem vocês. Passei grande tempo de minha vida com vocês. Eu era escrava de vocês. Agora me sinto livre. Eu saí de vossa prisão. Agora, separada de vocês, eu sou livre. Eu me despedi da vida perfeita que me impuseram e sinto-me agora livre."[2]

Pensei em Marguerite Porete porque pensei que o feminismo significou, na vida de muitas mulheres, uma recriação de si mesmas, uma experiência de liberdade em relação a vários padrões de vida e a imposições sociais patriarcais. O feminismo

---

[2] Marguerite Porete, *Espelho das almas simples e aniquiladas e que permanecem somente na vontade e no desejo do amor*. Petrópolis: Vozes, 2008. p. 57. [Trecho adaptado.]

significou a saída de estereótipos, de naturalizações que nos mantinham como o segundo sexo, sempre submisso ao primeiro. Recriação como a possibilidade de reconstrução de um mundo com valores vividos diferentemente pelas mulheres, tanto na vida pessoal quanto em sociedade. Recriação inevitavelmente geradora de conflitos com as diferentes expressões do patriarcado vigente e sua ordem naturalizada e justificada como norma verdadeira.

O processo de recriação pode preceder um processo de intenso sofrimento no qual sentimos grande mal-estar e quase experimentamos a vida escapar-nos de diferentes maneiras. A prisão dos costumes, das políticas genocidas e das crenças religiosas nos encarceram, e, mesmo arriscando a própria vida e a reputação, escolhemos o caminho árduo da recriação para provar algo da chamada *liberdade*. E o que se experimenta é algo grandioso e difícil de ser narrado. É um processo parecido a um *sorriso interior*, a aceleração do coração, a respiração descompassada, algo que foi vivido por inúmeras mulheres brancas, negras, indígenas, de diferentes raças, depois de ultrapassarem uma diversidade de problemas de exclusão de direitos e de pequeníssimas alegrias. Por isso, as reivindicações para expressar Deus de outra maneira, para ter direito ao voto, a serviços de saúde especializados para mulheres, à maior representatividade na política, ao acesso pleno a escolas e universidades são parte desse processo de recriação sempre em curso. Recriar-se tendo acesso à vida oferecida como um direito conquistado, como uma saída da submissão ideológica a poderes corruptos, à natureza estática e a Deus é algo que emerge lentamente e vai tomando forma em nosso tempo, recriando-nos sempre de novo.

Ao mesmo tempo, a criação e a recriação são ambivalentes, contraditórias, contrárias, embora sejam parte do mesmo processo da vida. Estão sujeitas à mesma mistura complexa que nos caracteriza e nos conduz a caminhos diversificados. Temos sido dominadas pela recriação a partir da propriedade de pessoas e da propriedade privada de bens. Esta, pouco preocupada com a eliminação das diferenças injustas, com a matéria viva e real de nosso corpo e cultura, fazem destes apenas capital produtivo ou objetos que podem ser eliminados. Apagam do horizonte de conquista qualquer ética protetiva da vida e, de forma especial, da vida das mulheres que têm outro corpo e outro tempo de recriação da vida. Falar de justiça social sem apreender nossas diferenças, as diferenças das culturas locais e das culturas naturais é uma forma de hipocrisia patriarcal, que convida sub-repticiamente à eliminação das pessoas consideradas mais fracas, ou até inúteis, para a construção dos grandes impérios.

Nós mulheres estamos desobedecendo a esse controle e a essa recriação estúpida e desastrosa do mundo patriarcal capitalista. Somos nós que nos organizamos no combate aos novos Sobradinhos e Brumadinhos e às consequências da usina atômica de Chernobyl. Somos nós que estamos organizando movimentos de agroecologia doméstica, de reprodução de sementes crioulas e mudas. Somos nós que estamos gritando pelo direito de decisão sobre nosso corpo, nossa sexualidade, nossa reprodução. Recriar. Renovar coisas boas e destruir coisas destrutivas, armamentos bélicos, táticas de guerra, novos suplícios, novas tecnologias para explorar a natureza e os seres humanos, formas de traficar drogas e corpos, maldizer a vida. Essa recriação mortal, nós a combatemos.

Então nos perguntamos: como organizar a diversidade de recriações quando o predomínio de um mesmo modelo muitas vezes se repete continuamente, embora na aparência pareça se recriar como novidade? E a resposta nos vem: começar a buscar caminhos entre as mulheres.

E como sustentar a novidade perseguida num corpo pessoal, quando o institucional ainda não a comporta? E a resposta nos vem: conversando e organizando-nos como mulheres.

Recriar é um processo árduo e cheio de contradições, armadilhas e reveses. Se nos iludimos acreditando na recriação de mentiras ou sucumbimos aos encantos ilusórios de muitos, como recriar-nos? E a resposta nos vem: unindo as mulheres de todo o mundo. Hoje é um outro dia em que de novo nos damos as mãos.

Recriar nos sugere também reelaborar histórias passadas para sanar nossas feridas presentes, ou realizar através de uma narrativa a prefiguração da justiça possível. Embelezamos o passado para dar força ao presente, para afirmar a nós mesmas que, se algo libertário foi possível no passado, há de ser possível no presente. A justiça possível é experimentada primeiro através da esperança, da imaginação, do desejo, da palavra pensada, da palavra escrita, da arte, do teatro, da música, sempre capazes de despertar saudades e restaurar o sofrimento como memória feliz.

Essa homogeneização da criatividade às vezes me apavora, porque pode ser uma nova forma de não saber lidar com as belas irrupções do vulcão da vida. Pode esconder nosso incômodo com o caos, revelar a quase reprodução de um mesmo mundo numa bela bolha virtual, com pequenas diferenças verbais em relação ao mundo patriarcal, que continua forte e robusto. Pode revelar a presunção de bondade, de um lugar ético, de cuidado maior apenas ilusório. É possível que expresse apenas uma fachada de compromisso enquanto nosso coração fica ainda na prática maior, tramando armadilhas contra os diferentes de nós.

Distanciamo-nos da maioria. Não sentimos mais o cheiro do suor dos pobres. Desconhecemos suas histórias reais, que agora são reduzidas a uma expressão – "os pobres". Não enxergamos a beleza de sua música, de sua comida, a evolução de sua linguagem, de sua ética, de seus cuidados.

Talvez as suspeitas de uma velha senhora que sou possam confundir a muitos neste momento de busca de caminhos. Talvez o tempo da vida tenha deixado em mim marcas que me façam crer que o fruto maduro tem um tempo para cair da árvore, deixar sementes, misturar-se à terra para talvez nascer de novo. É preciso haver muitos frutos e muitas sementes para não matar a diversidade da vida. E mais, há que acolher o fato de que seu crescimento não depende apenas de mim, de nós. O novo broto nunca será o que imaginamos que pudesse ou devesse ser. Por isso, recriar convida à liberdade, apesar dos limites que a vida nos impõe; convida a acolher as surpresas.

A história é cheia de acasos, de inesperados, de imprevisibilidade. De repente irrompe algo da esperança imaginada, porém sempre de outra forma. A verdade da história e de nossas lutas se manifesta então num presente/futuro diferente. O resultado real de nossas recriações não será apenas para o imediato esperado nem, em sua totalidade, algo para o presente. Por isso recriamos as relações no presente em vista do futuro.

O verbo *recriar* nos convida à consciência de que agimos de forma muitas vezes teórica. Temos uma ideia do que é justo, bom e salutar para nós. A partir dela, criticamos todas as formas que desobedeçam à nossa ordem mental teórica e ética. Nós nos penalizamos, por exemplo, quando o mundo dos pobres não obedece e não entende nossas propostas; quando os da direita não são conscientes de nossas justas reivindicações ou recusam o que nos parece ser tão perfeito. Nós nos sentimos mal até quando nosso grupo de convivência não acolhe as boas ideias que temos. Quantas vezes me espantei com minhas emoções frente a atitudes inesperadas de pessoas pobres.

Nesses dias, o namorado de uma trabalhadora doméstica minha amiga conseguiu um trabalho de ajudante de pedreiro por um único dia. Ganhou cem reais. Comprou com o dinheiro um quilo e meio de picanha, algumas latinhas de cerveja e fez um churrasco para ele e a namorada. Confesso que me incomodei um pouco. Eu me dizia: "Ele, que precisava tanto de um tênis novo... e também de camisetas novas. Por que não comprou? Precisava pagar a conta de luz atrasada. Também não o fez." O fato é que comeu do fruto de seu trabalho e se deu prazer por um dia. Recriou-se de seu jeito, e que bom para ele. Comprou prazer enquanto eu queria que ele comprasse utilidades, que pagasse as contas que devia. Tudo isso para exemplificar o quanto julgamos a criatividade dos outros com uma visão de classe média que aprendeu a economizar, ou de intelectuais que sempre julgam ter a melhor análise e a melhor saída para os problemas.

Recriar, movimento plural da vida que não suporta fórmulas ditadas. Irrompe, rompe a mesmice e convida à liberdade, que chega ainda que tardiamente. Liberdade de mulheres buscando recriar e dar espaço às forças que nos habitam e que afirmam a recriação de nossas *diferenças* e *convergências* para enriquecer a já exuberante beleza do mundo.

CELEBRAR

DEBORA DINIZ

Este é um verbo que eu tenho dificuldade em conjugar. O exercício do verbiário feminista me oferece uma pausa para pensar de onde saem minhas inquietações sobre celebrar. Eu me forço a escavar sentidos éticos e políticos no verbo *celebrar*. O verbo parece ter sido usurpado pelas multidões em festejos: as imagens são de carnaval ou estádios de futebol. Mas o que celebram as meninas chilenas quando dançam e cantam "Um estuprador em seu caminho" pelas esquinas do poder? É sobre elas que quero pensar. Elas celebram o poder da transformação feminista, o exato momento em que reconhecemos que não sucumbimos ao patriarcado. A alegria das liberdades. Elas existem entre comadres, irmãs e vizinhas feministas.

A festa feminista se parece com outras festas; há dança, música e prazeres do corpo. Por isso me confunde como se fosse uma festa qualquer, mas não é. Quando as mulheres se encontram para celebrar, é o próprio espaço de aparição dos corpos em público que é uma novidade. As celebrações feministas festejam o *direito de aparecer*: como meninas, mulheres e outros corpos livres de violência ou como corpos juntos nas ruas. "A culpa não era minha, nem onde eu estava nem como me vestia", dançam e cantam as meninas chilenas.[1] Centenas delas ao mesmo tempo, em uma coreografia que desafia os poderes patriarcais da lei e da casa. Elas declaram a sentença de responsabilidade: "O estuprador é você." E a quem gritam? Aos monumentos do poder, pois se aglomeram em espaços que permitem a seu corpo mirar políticos, juízes e policiais. Falam a indivíduos e a instituições, a estruturas e espaços, por isso se lançam em coro em praças públicas. Elas desafiam a aparição em territórios de domínio do patriarcado.

Há uma performatividade particular na celebração feminista. Judith Butler escreveu sobre o poder das assembleias e das ocupações para as políticas de gênero; Cinzia Arruzza, Tithi Bhattacharya e Nancy Fraser escreveram sobre o poder das marchas.[2] Queria pensar como a celebração é uma política de aparição feminista, "porque quando corpos se unem como o fazem para expressar sua indignação e para representar

---

[1] Debora Diniz e Giselle Carino, "'O estuprador é você', a catarse das meninas chilenas". *El País*, 5 dez. 2019. Disponível em: <www.brasil.elpais.com/opiniao/2019-12-05/o-estuprador-e-voce-as-meninas-chilenas.html>. Acesso em: 5 jan. 2022.

[2] Judith Butler, "Políticas de gênero e direito de aparecer". In: *Corpos em aliança e política das ruas: notas para uma teoria performativa de assembleia*. Tradução de Fernanda Siqueira Miguens. Revisão técnica de Carla Rodrigues. 4ª ed. Rio de Janeiro: Civilização Brasileira, 2019; Cinzia Arruzza, Tithi Bhattacharya e Nancy Fraser, *Feminismo para os 99%: um manifesto*. Tradução: Heci Regina Candiani. São Paulo: Boitempo, 2019.

sua existência plural no espaço público, eles também estão fazendo exigências mais abrangentes: estão reivindicando reconhecimento e valorização, estão exercitando o direito de aparecer, de exercitar a liberdade, e estão reivindicando uma vida que possa ser vivida".[3] A aparição que desafia o poder, seja ela em formato de multidão ou solitária, é um reclame de vida vivível para os corpos. Por isso, a aparição de mulheres e meninas em celebração é tão perturbadora, é uma exibição em performance – um festejo por existir e reclamar vidas não matáveis.

Eu não participei do movimento #EleNão no Brasil como um corpo na rua.[4] Já vivia no desterro pelas ameaças que sofro desde 2018. Se pudesse, teria sido mais um corpo anônimo na multidão a celebrar. O movimento foi liderado por mulheres, e as ruas foram ocupadas por muitas delas, mas não só. Eram *corpos em aliança*, para novamente lembrar Judith Butler ao descrever a força das marchas em que pessoas muito diferentes, com agendas políticas até mesmo dissonantes, se reúnem "em público juntas para serem vistas e ouvidas como uma presença política e uma força plural". O movimento #EleNão teve a *coragem de verdade* das meninas chilenas – apontou para o centro do poder patriarcal escondido em narrativas políticas autoritárias. Houve arte, música e festa para celebrar uma

---

[3] Judith Butler, "Políticas de gênero e direito de aparecer". *Op. cit.* p. 38.

[4] Rosana Pinheiro-Machado analisa o movimento #EleNão em uma matriz feminista: "O #EleNão foi um fato político permeado por uma série de ineditismos. A maioria dos homens não conseguiu entender o que aconteceu naquele período. Eles não entenderam por que não era um evento sobre eles: era sobre a politização de nós, mulheres, para além dos resultados das eleições" (Rosana Pinheiro-Machado, *Amanhã vai ser maior: o que aconteceu com o Brasil e as possíveis rotas de fuga para a crise atual*. São Paulo: Planeta do Brasil, 2019. p. 169).

aliança pacífica que atravessa os corpos fragilizados pelo patriarcado. É certo que o movimento não foi capaz de interromper o curso da história política e houve quem, erroneamente, o responsabilizasse sobre os resultados das urnas. O erro de análise histórica não é inocente: é o patriarcado se atualizando, desafiando "quem conta a história política" após uma cena de rechaço público com poderes proféticos. Foram as mulheres e outros corpos em aliança que ocuparam as ruas para anunciar o risco que se apresentava. E elas falavam unidas por vizinhança de um consenso político: #EleNão.

Todas nós que já participamos de celebrações feministas conhecemos os sentimentos ambíguos que nos acompanham. Há medo, muito medo, por isso as marchas e as ocupações exigem uma cuidadosa preparação. O patriarcado não se intimida quando aparecemos em multidão, e, ao contrário, pode se tornar ainda mais violento, seja na própria rua ou no retorno dos corpos à casa. Mas o medo não é uma novidade na vida de mulheres e meninas: crescemos nos protegendo de homens assediadores nas ruas e nos transportes públicos, aprendemos muito precocemente na infância a identificar potenciais abusadores. O medo é uma das táticas de controle do patriarcado, assim como de políticas fascistas para a vida: intimida-se para introjetar no próprio indivíduo o dever da submissão. Por isso, me interessa pensar um afeto revolucionário que transborda nas celebrações feministas e que o patriarcado não é capaz de domesticar: a alegria.

A alegria feminista não se confunde com o prazer do corpo de outros festejos. Se a dança revigora, se a música pacifica, o encontro com outros corpos em sintonia para a esperança feminista é o que alimenta a alegria das celebrações feministas.

Mas o que seria a alegria feminista? O afeto que afirma a vida, que desafia o patriarcado e suas normas de destruição dos corpos.[5] É a alegria que acompanha cada momento em que imaginamos ser possível um mundo sem violência contra as mulheres, em que elas não morram de fome ou por aborto. Em que mulheres com deficiência não sejam trancafiadas em asilos ou esterilizadas forçadamente. Em que o tempo da vida das mulheres negras não seja espoliado pela pobreza e pelo racismo. Ou em que as mulheres indígenas não sejam separadas de seu território. É uma alegria trançada por nossas singularidades existenciais: não se pensa em um corpo em particular ou abstrato, mas nos direitos dos corpos a existirem. Assim entendo por que Marcia Tiburi diz que "O feminismo é o contrário da solidão".[6] O feminismo também me afasta da solidão – o feminismo inunda a vida de alegria.

A ruptura com a solidão imposta pelo patriarcado não ocorre apenas nas celebrações públicas do feminismo. O patriarcado aliena as mulheres umas das outras. Todas nós já ouvimos frases como *as mulheres não são verdadeiras amigas* ou *as mulheres não são unidas como os homens*. Elas são repetidas por

---

[5] Alegria não se confunde com felicidade e menos ainda com afugentar a raiva contra o patriarcado e suas tramas de opressão – como o capacitismo e o racismo –, à maneira de um dispositivo afetivo de luta feminista. Para uma reflexão ética sobre a raiva como um afeto feminista contra o racismo, sugiro ler o texto "Os usos da raiva: mulheres respondendo ao racismo", de Audre Lorde (Disponível em: <www.geledes.org.br/os-usos-da-raiva-mulheres-respondendo-ao-racismo/>. Acesso em: 5 jan. 2021). Para uma crítica da felicidade como afeto de controle no patriarcado, o capítulo "Hacerse feminista" [Fazer-se feminista], de Sara Ahmed é transformador (Sara Ahmed, *Vivir una vida feminista* [Viver uma vida feminista]. Tradução de María Enguix. Barcelona: Ediciones BellaTerra, 2018. pp. 37-40).

[6] Marcia Tiburi, *Feminismo em comum: para todas, todes e todos*. 15ª ed. Rio de Janeiro: Rosa dos Tempos, 2021. p. 31.

nós, meninas e mulheres, sobre nós mesmas. Quem nos ensinou? Talvez outras mulheres, é verdade. Nós reproduzimos o patriarcado entranhado em nós, isso já sabemos. A pergunta é: a quem interessa desconfiarmos umas das outras, uma vez que, sem a confiança, não há aliança política? A desconfiança de outras mulheres é um afeto sutil que, associado ao medo da violência, nos faz, erroneamente, crer que o patriarca é um protetor. Sabemos que é uma falsa promessa, e o resultado é a solidão das mulheres. Marcia Tiburi lembra da própria infância e do quanto a mãe era uma "sobrevivente em um mundo absurdamente ruim": sozinha, talvez ranzinza, e com os deveres de cuidado e sobrevivência dos filhos.

Se estou certa em dizer que a alegria feminista é o que nos tira da solidão, que tipo de pedagogia é necessária para expandirmos o estado de alegria entre nós? Uma pedagogia que nos ensine a celebrar as liberdades, nossas e das outras. A pedagogia da alegria não se confunde com utopia no sentido corriqueiro de crenças inalcançáveis; está mais para o manter-se *encantada*, tal qual ensinava o avô ao neto no conto "As mais belas coisas do mundo", de Valter Hugo Mãe.[7] Encantar-se é alegrar-se com a beleza do mundo. Diferentemente do neto que descrevia "o mar, a rebentação do inverno, a muita chuva" ou "as casas com chaminés" como as coisas belas, o avô "ponderou se o mais belo do mundo não seria fazer-se o que se sabe e pode para que a vida de todos seja melhor". A resposta do avô nada tem de utopia, é sobre ver a beleza na alegria da existência em conjunto com outras pessoas. Assim como no feminismo, a lição do neto parece também ser a nossa: "é

---

[7] Valter Hugo Mãe, *As mais belas coisas do mundo*. Rio de Janeiro: Biblioteca Azul, 2020. p. 26.

imperioso acreditar. Quem não acredita não está preparado para ser melhor do que já é. Até para ver a realidade é importante acreditar". Para celebrar a beleza precisamos acreditar que juntas fazemos mais e nos tornamos pessoas melhores.

Mas como manter essa pedagogia acesa se as celebrações em formato de multidão não fazem parte da prática cotidiana do feminismo? Eu me arrisco a compartilhar duas práticas pedagógicas que adoto em minha vida cotidiana. A primeira diz respeito aos afetos; a segunda, a aprendizados formais. O patriarcado é um poder violento que movimenta afetos negativos em nós. Para as mulheres em estado de opressão, é difícil desfrutar da alegria, assim como Marcia Tiburi recorda de sua mãe ou eu de minha tia-avó que não conheci: um mundo ruim transforma as meninas e mulheres em sobreviventes ou, terrivelmente, faz com que algumas sucumbam. Falar em beleza ou alegria parece até mesmo obsceno ao sofrimento da outra. Não rejeito o estranhamento sobre beleza ou alegria, pois esta é uma das forças dos poderes opressores: usurpar a capacidade de imaginar para além das lentes dos próprios privilégios. Porém, com brutalidades diferentes, o patriarcado movimenta em todas nós o pessimismo como um afeto de sobrevivência, ele é um par imobilizador que acompanha o medo. Acalmar o medo e avivar a esperança é um ato de coragem feminista, um gesto necessário para viver a celebração. Não me defino como otimista, até mesmo rejeito o termo por considerar o otimismo um sentimento frágil de alienação do real. Prefiro crer que afugento o pessimismo, um afeto útil ao patriarcado.

A segunda tática é uma prática pedagógica cotidiana e contemporânea que aprendo com as gerações responsáveis por redefinir o feminismo de maneiras muito diversas do feminismo civilizatório. A solidão nos confina a territórios murados: é uma solidão isolada. Como romper com essa distância entre mulheres vem sendo uma das perguntas centrais ao feminismo interseccional e decolonial, pois significa reconhecer tanto regimes de desigualdade e poder entre as mulheres quanto regimes de precarização da vida compartilhados. Da minha janela enviesada para o mundo, sei que há uma diversidade de vidas cujas lutas por liberdade desconheço. Foi assim que passei a educar-me fora das escolas imaginadas por Virginia Woolf para as filhas dos homens instruídos: lancei-me nas redes sociais a aprender com as aparições de conteudistas feministas de corpos atípicos, feministas negras, feministas indígenas ou feministas trans.[8] Em seus perfis público-privados, elas celebram as liberdades, e ao fazê-lo contagiam uma nova alegria pela diversidade da vida.

Rejeito chamar as conteudistas digitais de *influenciadoras*. Talvez seja um cacoete geracional, e o aceito de bom grado. Até reconheço que a palavra não é das mais elegantes na língua portuguesa, mas é a tradição de uso que me interessa: o dicionário diz que conteudistas são aqueles que se preocupam mais com o conteúdo que com a forma. Assim se fazem os ensinos a distância, muito antes da urgência da pandemia de covid-19. Fazia-se como se sabia ou podia – o objetivo é criar outras comunidades de prática e partilha de conhecimentos alternativos aos escolásticos das universidades ou escolas. Uma conteudista é alguém que celebra a palavra com outra epistemologia, a da própria sobrevivência e do reconhecimento de si no mundo. Assim, leio o livro *Heroínas negras brasileiras em 15 cordéis*, de

---

[8] Nas redes sociais, minha linguagem é a de produtora de conteúdos. Sou uma aprendiz deles.

O FEMINISMO INUNDA A VIDA DE ALEGRIA.

Jarid Arraes: ao contar quem foi Antonieta de Barros, a primeira deputada estadual negra do Brasil, ela verseja:

> *Nas escolas não ouvimos*
> *Essa história impressionante*
> *Mas eu uso o meu cordel*
> *Que também é importante*
> *Para que você conheça*
> *E não fique ignorante*[9]

Ao ler o cordel de Jarid Arraes, sinto-me como o neto no abraço de avô do conto de Valter Hugo Mãe: "aprender é mudar de conduta, fazer melhor". Eu quero mudar de conduta. Fazer melhor é um mandato ético de responsabilidade para o feminismo. O que significa *fazer melhor*? Compartilhar um mundo feminista, em que as liberdades de ser e viver sejam protegidas, em que não haja opressão ou medo por ser o corpo que se é ou se imagina ser, em que o patriarcado seja desmantelado em suas estruturas capacitistas, classistas, homofóbicas e racistas. Se *celebrar* é aprender, mudar, fazer melhor e junto, não tenho mais dificuldades em conjugar o verbo. Para celebrar a esperança feminista, é preciso se juntar a outras que nos cutucam fundo onde o patriarcado persiste em nós: o isolamento solitário nos afugenta da transformação. Todo encontro de celebração é um momento de existir para romper o patriarcado em nós e nas outras.

---

[9] As quinze heroínas são: Antonieta de Barros, Aqualtune, Carolina Maria de Jesus, Dandara dos Palmares, Esperança Garcia, Eva Maria do Bonsucesso, Laudelina de Campos Melo, Luísa Mahin, Maria Felipa, Maria Firmina dos Reis, Mariana Crioula, Na Agontimé, Tereza de Benguela, Tia Ciata, Zacimba Gaba. Jarid Arraes, "Antonieta de Barros". In: *Heroínas negras brasileiras em 15 cordéis*. Ilustração de Gabriela Pires. São Paulo: Seguinte, 2020.

IVONE GEBARA

O verbo *celebrar*, como todos os outros, depende muito dos sujeitos e das circunstâncias de sua conjugação. Alguns celebram a festa de guerras passadas e, outros, de paz. Vitórias históricas consideradas derrotas para outros. A tristeza por uma morte e o júbilo por ela. Daí a ambiguidade presente nesse verbo, expressão real da diversidade de nossa vida. É nessa linha que minha reflexão sobre o verbo *celebrar* ligado à esperança feminista será igualmente marcada pelas contradições, pelas múltiplas interpretações e divisões presentes na história humana.

Celebrar é tornar presentes acontecimentos atuais e memórias passadas para fortalecer laços e criar energias de vida. É cantar juntas e juntos a novidade do presente e os passos que temos dado em nossas muitas lutas. É alegrar-se, comer, beber juntas, rir e dançar, porque algo considerado libertário brotou no meio de nós. É nessa perspectiva que como, feminista, afirmo que o crescimento do feminismo em sua variedade histórica é motivo de celebração, ou seja, de alegria, de júbilo coletivo pelas inúmeras conquistas na linha dos direitos humanos e da diversificada compreensão que estamos propondo do ser. E isso porque os feminismos, ou simplesmente a luta ímpar das mulheres desde muitos séculos atrás, vem provocando o dissenso dentro do mundo patriarcal, assim como significativas mudanças de comportamento cultural e social em favor das mulheres.

Provocar dissenso é levantar dúvidas em relação à ordem estabelecida, é convidar a pensar outras possibilidades de viver que possam proporcionar uma maior participação de pessoas nos bens e belezas de nossa humanidade. É sair do senso comum, do sentido patriarcal estabelecido, do sentido naturalizado, e afirmar a partir do dissenso tornado também discórdia, ou seja, desacordo do coração e da razão frente às imposições. Discordar do fato de que tudo tem que ser segundo leis e princípios afirmados como imutáveis. Discordar para pensar e plantar sementes de outra vida relacional, para recriar-se de outra maneira.

Para nós, há que celebrar tudo isto: dissenso, discórdia, dúvida, luta, mudança em relação à ordem estabelecida. Muito embora outros lamentem a ascensão do feminismo e preguem seu desaparecimento para voltar à harmonia da tradicional família onde Deus, os homens e a propriedade privada estariam a salvo, nós nos alegramos e celebramos. Como movimento social, celebramos o *avesso* da sociedade patriarcal, cada revés das políticas patriarcais, cada crítica que têm recebido. Celebrar o avesso do curso de certas correntes políticas, econômicas, religiosas tem nos caracterizado, pois estamos na contramão da barbárie que tem se estabelecido em relação às mulheres e aos grupos marginalizados.

Nossas pequenas vitórias, mesmo pessoais, para nós, feministas, são um momento de júbilo neste confuso mundo capitalista patriarcal e tecnocrata cheio de más notícias. Embora façamos variadas incursões através de outros modelos de mundo e de relacionamento, a partir dos quais apostamos num bem comum mais real, sentimos o quanto nossas conquistas estão ameaçadas e frágeis. Apesar disso, nosso *celebrar*, embora sombreado de dúvidas, renova nossas forças e nos ajuda a dar o próximo passo.

Nós, feministas, queremos tornar a *diversidade* direito real a ser respeitado, e não apenas constatação verbal útil para os discursos políticos de ocasião. Tal proposta de luta também é para ser vivida entre nós, e, por isso, muitas vezes é conflitiva até em nosso próprio corpo, que, ainda bem patriarcal, nos trai em muitas situações. Acabamos envolvidas nas contradições dos usos e costumes habituais, nas armadilhas do passado, nas marcantes heranças culturais patriarcais de nosso corpo.

Em nossas celebrações, estamos quase sempre em regime de exceção dentro do mundo patriarcal. Mesmo quando comemoramos novas normas comportamentais às quais aderimos e novas conquistas em direitos, também aí muitas vezes escorregamos nos velhos padrões e traímos de muitas formas os pequenos avanços que fizemos. Apesar disso, cantamos o presente e apostamos no amanhã que virá, na esperança que seja melhor e diferente. Nosso celebrar é cheio de músicas, às vezes dissonantes, de sons inesperados que introduzem ritmos marciais mimetizados quando queríamos apenas ouvir um samba gostoso, nutrindo o ritmo de nossos passos e o palpitar de nosso coração. Tememos, às vezes, os deslizes patriarcais de algumas celebrações feministas, embora afirmemos sua necessidade para nossa sustentação. Esse leve temor e tremor que se desliza em nós e nos faz estremecer interiormente é um alerta para nossa consciência, visto que aquilo que apontamos contra o comportamento do outro pode ter, em nós, uma variante também perniciosa.

Uma celebração é um belo momento de exceção no duro cotidiano de nossas lutas. É como uma pausa necessária na execução mais artística de nossa partitura de vida. E, também, uma convivência para continuar a lutar e tentar alcançar direitos reais e renováveis. Isso porque o direito real para todas não existe na violência institucional presente e passada, mesmo que seja uma lei escrita. Essas leis são, muitas vezes, objeto de torpes jurisprudências, que acabam criminalizando vítimas e inocentando culpados. Por isso, talvez a celebração indique apenas um sentido para o momento, uma força de incentivo para seguir nossa caminhada. Apesar dos pesares, estamos juntas e queremos continuar juntas. Porém, para isso, precisamos *estar também em nós mesmas*, com convicção pessoal celebrada em conjunto. Preciso estar, de fato, acreditando no que celebro e no que celebramos coletivamente. Subjetividade e coletividade precisam unir-se para que a novidade aconteça e possa ser comemorada.

A convicção pessoal é fundamental no feminismo, porque o prazeroso pode se dissolver no coletivo da celebração se a convicção pessoal não for assumida e nutrida em vista do coletivo. Por isso, as celebrações feministas são, salvo exceções, de alegria e de renovado compromisso com o que é celebrado. É como se o celebrado não fosse só a festa, mas, para além dela, algo que toca o vivido por mim, a partir de meu mundo interior, de minhas convicções, e, por isso, me leva a pensar em *compromisso* feminista. A festa feminista é confirmação de um compromisso de liberdade vivida e querida em comum.

Talvez eu esteja saindo da dimensão de *gratuidade* integrante do celebrar, mas, aqui com vocês, não estou fazendo celebrações festivas de fato. Estamos num *espaço de pensar o celebrar* e, portanto, não num espaço festivo. Pensar o celebrar não é, ainda, celebrar. É um preâmbulo, um estar na soleira da porta, adentrando o jardim para chegar à festa. É convite para viver o celebrar em muitas direções e continuações possíveis. Nessa linha, em cada celebração vivemos o paradoxo do *já e ainda não*, sempre em tensão contínua. Temos algo, mas falta muito mais. O sentido do que vivemos não está, certamente, em sua impossível ou possível realização histórica final, mas no momento vivido, da multiplicidade de ações que visam à liberdade, à justiça, à ajuda mútua, mesmo sabendo que nem sempre chegaremos a finalizar nossos atos e desejos perseguidos.

Celebrar é memória, conquista, individual e coletiva ao mesmo tempo. Para além dos eventos do passado, como a luta pelo voto feminino, no 8 de março fiquei pensando no movimento dos secundaristas em São Paulo em 2016 e 2017, quando o então governador quis fechar escolas secundárias e mudar alunos de um lugar para outro. Alunas e alunos de mais de duzentas escolas acamparam nos estabelecimentos escolares e, com o apoio de boa parte da população, foram vitoriosos. A presença e a atuação das meninas foram decisivas. Muitas jovens estudantes que ocuparam escolas se diziam na época feministas. O movimento foi um sucesso, apesar da violência policial contra as e os estudantes. E todas festejaram seu incrível ativismo e as pequenas vitórias.

Fiquei pensando também no Movimento Passe Livre, que ganhou destaque em 2013, quando jovens saíram para as ruas pedindo transporte gratuito. Imaginou-se uma vitória quando o governo não aumentou os vinte centavos planejados, embora não tivesse concedido o passe livre. Muitas jovens do movimento se declaravam feministas. Celebrou-se algo na época, mas muito ficou para depois. No fundo, nunca conquistamos todos os direitos que buscamos, mas sempre conseguimos algo, como se estivéssemos sempre anunciando que há que continuar amanhã e que, talvez, a festa tenha que ser diferente. Seguimos lutando numa guerra sem fim, com Marielle Franco, Dorothy Stang, Simone de Beauvoir, Juana Inés de la Cruz, Clarice Lispector, Dandara.

As lutas e celebrações feministas são *opostas* às guerras patriarcais. Não há um armistício final. Não há uma declaração de final de combate feita por algum general ou coronel. Nossas lutas entram em todas as lutas, em todos os corpos, em todas as reivindicações. Introduzem-se em todos os setores, em todas as classes, em todas as raças, em todas as religiões e são de todos os dias, como *condimentos imprescindíveis* para dar sabor ao alimento da vida.

Há uma universalidade do feminismo que mostra o quanto a hierarquia patriarcal onipresente deve ser combatida em todos os cantos do mundo, inclusive em relação a algumas mulheres que se disfarçam de feministas e reproduzem, para além das palavras, armadilhas sutis geradas pelo sistema patriarcal. Refiro-me aqui à apropriação indevida do termo *feminismo* por algumas mulheres e alguns homens na política partidária. Por isso, é necessário combater o mundo patriarcal dentro de mim, me buscar como corpo e mente a serem decolonizados, para não cair nas armadilhas que talvez eu mesma me prepare tentando justificar ou encobrir as concessões que faço a mim mesma. Não quero ser dura, mas apenas convidar-me a admitir meu gingado interior, minhas vontades patriarcais sedutoras, as delícias às quais me habituei e com as quais até sonhei. Quero admitir meu corpo patriarcal, porém quero transformá-lo, quero senti-lo e vivê-lo de outra maneira, porque suas aparentes delícias me oprimem.

O verbo em questão é *celebrar*. Preciso voltar a ele de forma mais arrumada, pois é ele que nos falará das razões feministas para festejar tudo na *mistura* da vida, na diversidade de caminhos, na diversidade exuberante desse verbo. Nessa linha, podemos celebrar a vida de algumas mulheres que nos marcaram por sua coragem, seus pensamentos, seu testemunho de vida, sua poesia, sua ciência; pelos processos educativos que implementaram; por sua comida e seu carinho.

Podemos celebrar as anônimas, a maioria silenciada que criou e sustentou vidas. Anônimas que conhecemos ou cuja presença adivinhamos na história passada. E, quando as celebramos, as transformamos em nós, como se quiséssemos comer e beber de sua força, para que sua vida esteja de certa forma na nossa. O pastel, o bolo, a pizza que comemos juntas tornam-se, de certa forma na celebração, o corpo das pessoas cuja luta e vida são celebradas. É como se disséssemos: *vocês*, que celebramos, são também nosso corpo e sangue hoje, nossa força simbólica, algo importante em nossa esperança e em nossa luta. Celebrar é, pois, trazer o passado para o presente, é nutrir-se de memórias misturadas às nossas para que a vida continue, para dizer a nós mesmas que a luta pela dignidade nunca termina e há que ser recomeçada a cada dia sempre de novo. Ao fazer isso, o pensamento crítico nos lembra do vai e vem da vida, o doce e o amargo do cotidiano, que se inclui necessariamente em nosso celebrar, mesmo quando não queremos a presença da tristeza.

Todas as celebrações são ligadas a grupos e lutas concretas, em que dor e alegria, morte e vida, ódio e amor se misturaram. Os paradoxos nos habitam. Aquilo que não deveria ser celebrado, mas apenas chorado por alguns, é, para outros, motivo de júbilo e de celebração. Para alguns, a guerra, a ditadura, a morte de populações inteiras são motivos de alegre, triunfal e suntuosa celebração. Aparece mais uma vez o sentido ambíguo e contraditório do verbo *celebrar*, sempre ligado às nossas precárias visões do mundo, às nossas limitadas humanidades.

Há coisas que celebramos demasiadamente e há eventos ou situações que quase não celebramos. Tudo depende dos momentos e das pessoas envolvidas. Por isso nós, feministas, retomamos de nossa memória comum algumas histórias, alguns símbolos e sentidos, para torná-los uma espécie de celebração de *luto partilhado*. Celebrar dores passadas como parte de nós mesmas, como parte de nossa humanidade que não se regenera totalmente da violência que nos caracteriza. Comemorar esse luto tentando também resgatar o amor a nós e a elas e eles nesse momento único da história. Há uma dialética entre as vítimas e os agressores que é difícil de explicar e de compreender a partir do verbo *celebrar*. O fato é que somos todas e todos do mesmo *húmus* da terra, capazes de amor e ódio, de grandezas e misérias.

Essa espécie de pertencimento comum coletivo a uma humanidade capaz de amar-se, mas também de autodestruir-se por causa de um pedaço de terra, uma paixão incontida ou um ódio cego, me faz lembrar do *Yom Kippur* da tradição judaica. É o grande dia do perdão, celebrado a cada ano, no sentido de recordar nossas falhas conscientes individuais e coletivas, nossas tragédias consentidas como *momento de lembrança*, de reconhecimento coletivo de quem somos. Momento para não nos esquecermos de nossa reponsabilidade comum de recomeçar as relações de justiça entre nós, porque todos, além do amor, seguimos produtores de ódio e podemos atentar sobre a vida uns dos outros de diferentes maneiras. Mais do que a crença numa divindade que perdoa, a data indica uma crença na capacidade humana de acolher o chamado que nos habita e nos leva a lutar por uma vida digna para todas e todos. Dia do perdão, dia da lembrança celebrada como afirmação da dialética entre passado e futuro *no* presente.

O presente não pode se esquecer de que milhares dentre nós fomos mortas como bruxas e que, hoje, milhares são mortas porque são mulheres consideradas fora dos modelos patriarcais aceitos e promovidos pela *pátria*. Dores celebradas no presente, para que o futuro seja diferente. Dores do passado, mas simbolicamente também nossas dores de hoje, que precisam ser lembradas e curadas. Nosso amor ao presente é, dessa forma, ligado ao repúdio à destruição passada *re--situada*, que não deve ser esquecida. Por isso, podemos até falar do Dia da Mátria em vez do Dia da Pátria, do Dia da Soldada Desconhecida em vez de apenas lembrar o soldado desconhecido. Inventar, descontruir, ressignificar verbos, alargar sentidos e celebrações.

Talvez essas invenções ou esses malabarismos reflexivos nos impressionem porque sempre achamos que celebrar é sentir-se apenas bem e comemorar algum acontecimento bom, ou, ainda, se lembrar de uma pessoa que imaginamos ter sido sempre boa. O fato é que celebrar acontecimentos trágicos passados é também recriá-los e transformá-los em força vital em vista de um presente diferente. Celebramos a memória dos que foram mortos nos navios com pessoas escravizadas, nas aldeias indígenas queimadas, nos campos de concentração, nas ditaduras, nos frágeis barcos que naufragaram no Mediterrâneo, a vida de jovens negros mortos pelas forças de repressão, os que não sobreviveram por falta de água e comida, a terra seca e ferida, os sapos e as abelhas em extinção. Nós os celebramos para dizer: *nunca mais* façamos isso aos nossos ou *nunca mais* queremos reproduzir esses tristes episódios, muito embora suspeitemos que eles voltarão, de outras formas, ao cenário da história.

O sentido do que nos aconteceu como pessoas e humanidade não é fixo. Estamos sempre em processo de reinterpretação e conhecimento do passado e do presente. Dessa forma, o passado, que certamente não volta mais tem seu lado criativo nas nossas reinterpretações. As histórias da crueldade humana, da justiça, do amor e da amizade nos acompanham sem cessar e se misturam ao verbo *celebrar*, como a muitos outros. Tudo se mescla numa sucessão criativa de momentos. O lembrar, o amar, o abraçar, o aconchegar, o recriar se ligam aos muitos outros verbos da vida e se celebram em muitos tempos e lugares.

Vida e morte se misturam às nossas celebrações e expressam novos capítulos da história da esperança feminista, que segue sendo escrita com ternura, dialética e poética. Celebrar é preciso. Celebrar é "viver e não ter a vergonha de ser feliz". Celebrar é saber que somos um *eterno aprendiz* da vida, apesar dos muitos pesares que *não saem de nós, não saem*.

COMPARTILHAR
COMPARTILHAR

DEBORA DINIZ

O verbo é bitransitivo. Soa até como gramática escolar começar o texto sobre ele assim. Sua ação pede que se compartilhe algo com alguém. Queria que a norma dos verbos impusesse, além de bitransitividade, um advérbio de modo: como se partilha algo com alguém? Sei que começo este verbo com um vocabulário estranho ao feminismo, mais parece que voltei a meus anos de criança nas aulas de catequismo: partilhar os pães, diziam. Não é a partilha como caridade o que me interessa aqui, mas a partilha que subverte o poder.

As perguntas passam a ser sobre o que se partilha, quem cabe na bitransitividade da partilha e como são feitas as partilhas no feminismo. Conjugo o verbo no presente, porém o mais adequado é olhar para nós mesmas com um relance ao passado – quem esteve incluída na partilha feminista? Fala-se em nome de todas nós, as mulheres; imaginava-se algumas de nós, "as filhas dos homens instruídos".[1] Aprendi e repeti que o feminismo teve ondas de lutas e conquistas – a do direito ao voto, do trabalho remunerado e da autonomia ao próprio corpo. Demorei para escutar, imaginar, me aproximar, aprender a lembrar, aliar-me à reparação pela diversidade de mulheres no feminismo que subvertesse a história oficial das ondas do feminismo civilizatório.

Há injustiças nessa história oficial de partilha feminista. De um lado, fala-se sobre quem apareceu como protagonista e participante da partilha; de outro, sobre como se ignora a partilha feminista vivida de mulher a mulher na vida cotidiana do campo, das comunidades, das prisões, isto é, fora dos livros e das enciclopédias. Para que "as filhas dos homens instruídos" fossem à universidade, as filhas das ex-escravizadas, das migrantes indocumentadas, das mulheres racializadas das ex-colônias limparam as salas de aula, cuidaram da cozinha ou dos filhos das mulheres que reclamavam um *quarto todo seu* para a prática feminista.[2] A perversa aliança entre feminismo, colonialidade e capitalismo fez com que, "para as mulheres racializadas, afirmar o que é, para elas, ser mulher, foi um campo de luta. As mulheres não constituem em si uma

---

[1] Virginia Woolf, *As mulheres devem chorar... ou se unir contra a guerra. Patriarcado e militarismo*. Organização, tradução e notas de Tomaz Tadeu. Posfácio de Guacira Lopes Louro. Belo Horizonte: Autêntica, 2019. p. 99.

[2] Virginia Woolf escreveu "A room of one's own" em 1929: havia algo de provocador em reclamar condições de igualdade aos homens para o ofício de escritor, como um espaço próprio. A tradução em língua portuguesa optou por "um teto todo seu", uma escolha que tem suas potencialidades para leitoras trabalhadoras e distantes das lentes burguesas de Woolf. Mantive o intertexto como "quarto", pois Woolf não descrevia uma casa como o espaço para a escrita das mulheres, mas um aposento: a arquitetura burguesa da privacidade (Virginia Woolf, *Um quarto só seu*. Tradução Denise Bottmann. Porto Alegre: L&PM, 2019).

classe política".[3] Françoise Vergès está certa: o feminismo não é, espontaneamente, um campo de partilha igualitária e de mútuo reconhecimento. É preciso desafiá-lo de suas entranhas para tornar-se mais inclusivo – vivemos num momento efervescente sobre como compartilhar aparições feministas.

"E eu não sou uma mulher?" foi a pergunta de Sojourner Truth a um grupo de mulheres e homens em uma convenção sobre os direitos de mulheres nos Estados Unidos do século XVIII.[4] "Olhem para mim!", disse ela, esticando o braço, em um gesto de demonstração de força pelos músculos do trabalho na terra, mas também de prova da matéria como existência. Nascida escravizada e feita propriedade, Sojourner Truth foi a primeira mulher negra a ganhar uma ação contra um homem branco nas cortes estadunidenses. Outras tantas mulheres compartilharam o mesmo gesto de inquietação de Sojourner Truth. Infelizmente, de muitas não temos arquivos ou registros, pois a história oficial do feminismo é também marcada pela sobreposição entre privilégios. A memória feita história é território de disputa, por isso é tão urgente ao feminismo a partilha de outros nomes e lembranças, referências e antepassadas.

Três séculos depois ainda ouvimos a pergunta de Sojourner Truth vinda de outras mulheres que reclamam a aparição na partilha feminista. Mulheres marcadas por diásporas, mulheres trans e mulheres de corpo atípico são algumas delas. Não ignoro que cada feminista que me antecedeu enfrentou

---

[3] Françoise Vergès, *Um feminismo decolonial*. Tradução de Jamille Pinheiro Dias e Raquel Camargo. São Paulo: Ubu, 2020. p. 61.

[4] Sojourner Truth, *E eu não sou uma mulher? A narrativa de Sojourner Truth contada a Olive Gilbert*. Tradução de Carla Cardoso e Julio Silveira. Rio de Janeiro: Livros de Criação/Ímã Editorial, 2020. p. 28. (Coleção Meia-Azul.)

seu próprio tempo e os limites de estranhamento de si mesma. A elas agradeço a partilha da coragem para que minha própria vida fosse mais suave no patriarcado: votei aos 18 anos na primeira eleição democrática depois de décadas de ditadura militar, vivo em família e sem filhos, estudo e trabalho. Faço parte de um grupo de mulheres que, mesmo sob a tragédia da pandemia de covid-19 no mundo, sobreviveu em trabalho remoto sem empobrecer. É como uma sobrevivente privilegiada que retorno a Sojourner Truth: por que custa tanto sermos escutadeiras das dores, das violações de direitos, das necessidades de outras mulheres diferentes das que vemos como espelho?

Sei que pareço rude, e até contra mim mesma. É uma rudeza protegida, confesso. Escrevo em um quarto todo meu e, mesmo desterrada, encontro-me protegida da fúria patriarcal. Se insisto na valência do verbo *compartilhar* é porque ele é dos mais transformadores para um porvir feminista. Um futuro feminista depende das condições de possibilidade para a partilha no presente, ou seja, só compartilhando aparições, privilégios e poderes com um horizonte diverso de mulheres o patriarcado se desmantelará. Nosso corpo não garante nossa cumplicidade política – é preciso um deslocamento existencial para o reconhecimento de irmãs, comadres e vizinhas como outras também atravessadas pelo patriarcado. Nossos atravessamentos fazem nossa existência sempre complexa, mas nem todas compartilhamos a mesma comunidade de destino marcada pelo capacitismo, racismo ou pobreza.[5]

---

[5] "Comunidade de destino" é mais do que um conceito para mim, é um atravessador da existência. Desconheço as rotas de sua criação – eu o li na "Declaração de Itapecerica da Serra das Mulheres Negras Brasileiras" e é daí que assumo sua origem: "Acreditamos, enfim, na possibilidade de construção de um novo modelo civilizatório, humano,

"Um novo tipo de solidariedade e de sociabilidade devemos aportar a um Tempo Feminino", escreveu Sueli Carneiro, assim em caixa-alta para a esperança do porvir, pois "compartilhar é um verbo que as mulheres conjugam em maior escala do que os homens, e de um jeito mais doce", explicou.[6] Sueli Carneiro se dirigiu a todas nós, mulheres. Mas, de sua sabedoria de intelectual negra – um corpo cuja comunidade de destino vem sendo o risco de matança ou de se ver descartável –, ela dirigiu a mim, então uma adulta branca e embranquecida nos valores, uma pergunta particular: "Serão as mulheres das novas gerações parceiras das mulheres negras na luta por reparações e ações afirmativas que venham a eliminar as desvantagens históricas acumuladas pelas mulheres negras?" Eu releio *reparações*, o verbo já esteve neste livro – "repare", dizem as nordestinas, e eu retorno a ele para provocar-me no compartilhar.

Como feminista, me convoco a um permanente estado de partilha: uso o tempo da vida para a luta política e me dedico a causas que tocam a mim e a muitas outras mulheres. Como uma trabalhadora professora, me dei conta de como fui cúmplice do patriarcado colonial em uma prática docente: poderia ter chacoalhado os espaços de poder que ocupo

---

fraterno e solidário, tendo como base os valores expressos pela luta antirracista, feminista e ecológica, assumidos pelas mulheres negras de todos os continentes, pertencentes, que somos, à mesma comunidade de destino" (Geledés – Instituto da Mulher Negra, "Declaração de Itapecerica da Serra das Mulheres Negras Brasileiras". Itapecerica da Serra, 22 ago. 1993). O documento foi elaborado como plataforma das mulheres feministas negras para a Conferência Internacional de População e Desenvolvimento da Organização das Nações Unidas, conhecida como Conferência de Cairo, em 1994.

[6] Sueli Carneiro, "Tempo Feminino". In: *Escritos de uma vida*. São Paulo: Pólen Livros, 2018. pp. 106-116.

ao compartilhar outras narrativas. Quando monto uma bibliografia de leitura para um curso, seleciono quem aparecerá como autoridade de pensamento e, consequentemente, quem se reproduzirá como marcos de inteligibilidade entre as novas gerações. Passei a olhar meus programas de curso, eles cumpriam com as regras circulares de reprodução: aquelas vozes masculinas de uma mesma geopolítica mundial, que escreviam no idioma do poder, publicavam na própria paróquia e diziam coisas muito parecidas. As outras vozes, todas elas que não a deles poucos, eram descritas como *literatura cinzenta*.[7]

A pergunta de quase vinte anos antes, de Sueli Carneiro, sobre compartilhar e reparar me martelava quando li *Pequeno manual antirracista*, de Djamila Ribeiro. O capítulo é breve e tem o tom imperativo – "Leia autores negros." "Mesmo vencendo todos os obstáculos que acompanham a pele não branca e ingressando na pós-graduação, o estudante encontrará outro desafio: o epistemicídio, isto é, o apagamento sistemático de produções e saberes produzidos por grupos oprimidos."[8] Ao não compartilhar autoras fora da paróquia patriarcal, eu fui uma reprodutora da violência epistêmica: autoras com corpos atípicos, autoras indígenas, autoras negras, autoras trans, autoras decoloniais. Ou seja, a lista dos que faziam parte da

---

[7] Até mesmo os termos me soam racistas: "literatura branca" seria aquela validada pelo mercado livreiro ou editorial científico (como livros de editoras reconhecidas ou periódicos científicos); "literatura cinzenta", aquela de circulação paralela, como relatórios, documentos não publicados, notas de palestras etc.

[8] Djamila Ribeiro, "Leia autores negros". In: *Pequeno manual antirracista*. São Paulo: Companhia das Letras, 2019. p. 61. Chandra Mohanty e Gayatri Spivak são algumas das precursoras dos escritos sobre colonização discursiva e violência epistêmica nos saberes feministas (Ochy Curiel, "Construindo metodologias feministas a partir do feminismo decolonial". In: Heloisa Buarque de Hollanda (org.). *Pensamento feminista hoje: perspectivas decoloniais*. Rio de Janeiro: Bazar do Tempo, 2020. pp. 170-196).

partilha era estreita e repleta de exclusões. Isso não significa que não possamos e devamos ler homens da geopolítica imperial. Não é essa a partilha excludente que quero abraçar, ao contrário, é um gesto inclusivo à diversidade.

O meu exemplo de aprendizado feminista à partilha pode parecer insignificante para as urgências de reparação às desigualdades vividas pelas mulheres. É certo. Mas até esse pedacinho do mundo gigante, a ser transformado para um tempo feminista, foi resultado de um estranhamento da norma patriarcal que não foi espontaneamente desmantelada em minhas práticas. Por isso falamos em injustiças estruturais: estão entranhadas em todos os aspectos de nossa vida comum. Para escutar as palavras de Sojourner Truth, necessitamos das dez emoções no coração, de nos fazermos uma escutadeira feminista. Para imaginar a cena de seu braço erguido, é preciso conhecê-la como uma personagem da história para, então, segui-la como uma referência de luta para as futuras gerações. A bitransitividade do verbo *compartilhar* está à espera de que todas nós, do miudinho de nossa vida, instauremos modos feministas de viver a partilha.

COMO
FEMINISTA,
CONVOCO
A MIM
MESMA A UM
PERMANENTE
ESTADO DE
PARTILHA.

IVONE
GEBARA

Compartilhar, *partilhar com*, dividir coisas e sentimentos os mais diferentes com muitas pessoas e com outros seres. Compartilhar é condição para viver. Compartilhamos a terra, a água, as estrelas, a lua, o sol, o fogo, o ar para que a vida em sociedade animal, vegetal e mineral seja possível. Compartilhamos comidas e bebidas, amores e ódios, amizades e inimizades, canções e poemas de esperança. Compartilhamos sabedorias, experiências de vida, conhecimentos científicos e tecnológicos. Compartilhamos nosso corpo, nossos fluidos, nosso sangue, nossas energias, nossas emoções para criar outros corpos. Compartilhar é vital. Sem compartilhar não vivemos e não somos quem somos. Porém, o compartilhamento tem seus limites, suas cores, seu sexo, suas religiões, suas fronteiras e suas negações. E, por isso, luta-se para compartilhar, para desapropriar aqueles que se esqueceram desse verbo e, no lugar dele, instauraram o poder e a posse como substitutos.

Nem sempre temos consciência de que nós – ou a vida em nós –, na vida maior, existimos através do compartilhamento de milhares de vidas que estão presentes milenarmente e sustentam este minúsculo ser que somos. Quase sempre nos esquecemos dessa condição vital partilhada com tudo o que existe e que nos faz ser o que somos, iguais e diferentes de outros seres. Compartilhar, para os seres humanos, para além de nossa condição planetária, se torna uma escolha ética pessoal e coletiva, aperfeiçoada por nossa sociabilidade natural, por nossa consciência e pelo crescimento de nossa responsabilidade comum. O verbo sai, assim, do patamar do cósmico natural para entrar no longo processo de humanização de nossa consciência, da apreensão de valores, das relações de cultura, das relações políticas e econômicas. Compartilhar se torna uma necessidade ética de convivência e de sobrevivência.

Compartilhamos conhecimentos, sabedorias, tradições, crenças, afetos, comportamentos, escolhas, literatura e arte. Quase sem perceber, o fazemos porque integramos tudo isso como algo natural em nós, como se sempre tivéssemos sido o que hoje somos. Mas, nem sempre, nos damos conta das mutações que constituem o verbo *compartilhar* e que nos fazem perceber o quanto as formas de compartilhar evoluem conosco e são condicionadas por nosso contexto social e por nossa subjetividade. Ela é marcada por muitas formas de ambição, de generosidade, de vícios e virtudes ou, simplesmente, de muitos limites que nos caracterizam. Assim, o ato de compartilhar é apreendido como um processo complexo em nós, porque está submetido às nossas paixões individuais, aos nossos interesses, aos nossos gostos, ao pertencimento a grupos e a tendências quase inevitáveis que nos habitam.

Compartilhar é também algo negociado, politizado, apropriado, incitador de ganâncias, de posses, de negações e afirmações comportamentais de uns em relação a outros. E aí começa *o drama do compartilhar* e sua submissão às nossas muitas paixões individuais e coletivas. É aí que seu significado profundo, que inclui o *com* e o *partilhar*, ou o repartir com justiça e direito, é adulterado, esquecido de seu significado original. Compartilhar pode se tornar então bênção e maldição vividas nos limites da existência humana.

No fundo, a história humana é a história de compartilhar a terra e seus habitantes, visões do mundo, poderes, conhecimentos e culturas. O compartilhar entra como componente de nosso sistema de trocas entre os vários grupos e pessoas, introduz-se em nossas relações de dominação e posse, de sensibilidade ou insensibilidade aos outros, nossos semelhantes e diferentes. Por isso, podemos fazer do ato de *compartilhar* algo eticamente oposto ao seu sentido vital, reduzindo-o à retenção de coisas para si, guardar reservas, negar informações, acentuar propriedades privadas, invadir, defender, conquistar, se apropriar, privar, matar para possuir cada vez mais. O contexto da pandemia de covid-19 nos convida a pensarmos de forma especial sobre esse verbo diante da competição de governos, de laboratórios poderosos, de empresas de distribuição e a multidão de pessoas doentes ou ameaçadas, sobretudo as que vivem na precariedade de condições materiais.

Por que *inventamos* o verbo *compartilhar*? Por que nós, feministas, refletimos sobre o compartilhar? É porque descobrimos em nós mesmas a força vital do compartilhamento necessário à nossa sobrevivência como espécie. Porém, subsiste em nós a defesa de nossa individualidade como uma força aparentemente pequena dentro de uma força maior, ou como uma força de *individuação* potente dentro de uma força de *coletivização*. Essas duas forças em nós se atraem e se repulsam, mas não sobrevivem separadas. O indivíduo é capaz de se tornar apenas um ser voltado para si mesmo como se seu pretenso bem se tornasse o bem de todo mundo. Por isso se torna conquistador de mundos, escraviza para possuir, mata para ter, invade para se sentir vitorioso, aprisiona para sentir-se poderoso, cria inimigos para justificar suas posses e quer dominar a terra e os outros. Reproduz, de certa forma, sua natural animalidade, usando da racionalidade e da consciência que também o caracterizam, para dominar. Na mesma linha, afina e justifica suas ações através de ideologias políticas e religiosas que o convencem que seu caminho, embora seja destrutivo, representa o melhor bem para todos. Basta que nos lembremos das formas políticas de dominação – imperial, colonial, neocolonial – e das muitas formas em que o capitalismo tem se transformado ao longo de séculos tendo como objetivo o lucro de poucos e a privação de bens de muitos. E, nessas formas de dominação, as mulheres não tiveram o direito de compartilhar dos benefícios da educação, da escolha e de tantas outras coisas. Trata-se de um compartir iníquo, negador de seu próprio conteúdo semântico. Essa negação do real sentido de compartilhar causou o avanço da propriedade privada de terras e de pessoas, a redução à escravização de muitos povos e raças e, de maneira especial, à dominação das mulheres, assim como a apropriação de seu corpo segundo a lei patriarcal naturalizada.

É nessa linha que o verbo *compartilhar* nos convida a pensar numa percepção da constituição básica dos seres humanos que se move entre o amor a si, ou a preservação da própria vida, e o amor aos outros; entre o bem para si mesmo e o bem para os outros, entre a eliminação do outro e a preservação da própria vida – como se tivéssemos que escolher entre um e outro. Tal imbricação do eu e do nós é, de tal forma, intenso e profundo que nos damos conta de que, qualquer ação em favor de outras pessoas e seres, ou contra eles, se torna também uma ação em favor de nós mesmos, ou contra nós. O excesso de não compartilhar cria as grandes riquezas roubadas, o acúmulo individualista e a miséria da maioria. Cria os extremos e os excessos. E, em consequência, também as múltiplas carências e abandonos.

Muitas vezes, as forças que sublinham a individualidade, a subjetividade e seus interesses próprios parecem ser mais intensas e poderosas do que aquelas que nos convidam a sair de nós, a buscar uma relação em vista do bem do outro, do bem comum, do bem da terra. Através da força da individualidade egocêntrica, nossa ancestralidade animal se revela de forma magistral. Assim como os animais alimentam-se de ervas, frutos e uns dos outros, nós também o fazemos. Porém, em nós, a fome de possuir e de acumular nos torna predadores *inteligentes* da terra e uns dos outros. Embora tenhamos ultrapassado a fase do canibalismo ou a fase antropofágica, ainda guardamos dela resquícios que, dependendo dos momentos históricos e dos momentos pessoais, se manifestam de forma intensa e mortífera. Negamos aos outros o direito de partilhar da mesma terra, da mesma água, do mesmo ar, dos mesmos alimentos para gritarmos: "Isto é meu!" É como se essa propriedade se agregasse a nosso corpo individual e precisasse excluir os outros para se colar cada vez mais a nós, fazendo nosso corpo engordar e levando-nos a acumular bens desnecessários à nossa vida. Tornamo-nos repletos de bens inúteis sem pensar que a morte vem e pode, num instante, nos dizer: "*Isto* não é mais seu!" E o mais grave de tudo é que somos capazes de criar justificações naturais e imaginárias para dominar os outros, para tomar-lhes a terra, tirar-lhes o sustento cotidiano e a vida. Inventamos guerras de defesa e justificamos nossas ações predatórias como se propiciassem o bem a todas as pessoas. Negou-se às mulheres o direito de compartilhar da representação política e religiosa por sua declarada inferioridade natural. Negou-se às mulheres o direito a compartilhar propriedades, um nome familiar que seja seu, uma participação efetiva naquilo que se chamou de *democracia compartilhada*.

Diante disso, o verbo *compartilhar* abre-se para uma relevância ética fundamental em vista de direitos e da sobrevivência da humanidade – em particular em nossos dias, em que o acúmulo de riquezas e o consumismo se tornaram epidêmicos. Nessa linha, podemos afirmar que o *feminismo* denunciou a agregação corpórea indevida de muitos corpos masculinos que, ao se tornarem o princípio de organização social e cultural do mundo, macularam a compreensão coletiva do verbo *compartilhar*. Inventaram a propriedade privada extensa e masculina, defendida com armas e tratados de posse. Tornaram-se donos de outras vidas e, de forma especial, das mulheres. Imperadores apoderaram-se do mundo, reis e rainhas dividiram o mundo e o colonizaram para si, deuses se apossaram uns dos outros seguindo as ordens dos dominadores da terra. Negaram o compartilhar equitativo como ordem vital, rumo da vida, preservação da vida. Negaram as diferenças para assimilarem-na à falsa construção de uma ordem natural previamente dada. Esqueceram-se de sua própria morte individual enquanto matavam uns aos outros.

Por isso há que se voltar à positividade, à beleza e à sobriedade poética do verbo *compartilhar*, mesmo sabendo que a volta não tem sentido de *passo atrás*, mas volta ao significado original que demos a esse verbo quando nasceu e lentamente se formou de nossas longínquas entranhas humanas.

Compartilhar conhecimentos, poderes, deveres, responsabilidades, cuidados, bens, saberes, para que eles possam ser usufruídos pela maioria, em vista não só da dignidade humana, mas da dignidade de todos os seres que compartilham o planeta conosco. Assumir a *interdependência* de tudo o que existe nos abre para aprender uns dos outros e lutar por um mundo cuja organização precisa ser mais compartilhada, igualitária e respeitosa de nossas diferenças. É porque negamos a real riqueza de compartilhar bens e saberes que estamos sentindo tanta dificuldade de reencontrarmos o caminho de seu sentido original. É porque nos habituamos a um individualismo aprisionante que seguimos nos protegendo uns dos outros. É porque temos *medo* de que a fome, a pobreza e a indigência dos outros se tornem realmente uma ameaça para nós, que defendemos a nós mesmos e negamos a eles o direito à vida. O que temo e rejeito não é considerado pedaço de mim, pedaço de minha humanidade, pedaço negado tornado dissemelhante do ideal que projeto em mim mesma. Porém, tudo é pedaço de mim, de nós e da terra, e pode se transformar em vista do bem comum.

Compartilhar semelhanças e diferenças reais entre nós sem medo de afirmá-las na sua diversidade e sem as dissolver em um universalismo pretensamente homogêneo é algo a ser aprendido sempre de novo. Compartilhar é também viver a arte da memória que nos traz os aconchegos ou os arrepios e tristezas do passado. Às vezes um álbum de fotos folheado de forma compartilhada com amigos, ou um pedaço de bolo repartido com pessoas queridas, traz de volta cenas da infância, memórias saudosas vividas e compartilhadas no presente, memórias que relembram histórias, que reconstroem relações, que fazem poesia, literatura, arte, música e, finalmente, que ajudam a viver e descobrir a singeleza da vida.

Compartilhar saberes é uma arte da educação. Ajudar a descobrir mundos desconhecidos, amarrar os fios do presente aos do passado, entender sentidos e arrumá-los no grande livro da vida. É nessa linha que o feminismo quer compartilhar as histórias das mulheres, quer permitir que suas maneiras de ver e sentir o mundo, sua arte, suas intuições e pensamentos sejam acrescentados ao nosso corpo comum, não como peça descartável ou de segunda categoria.

Queremos ser reconhecidas como *atoras*, autoras, artífices deste mundo que só provisoriamente é nosso, só nos pertence por instantes. Bordar a nossa presença no imenso bordado cósmico e terráqueo que sempre nos ultrapassa neste hoje único que é o nosso. Compartilhar conhecimentos, intuições, percepções diversas como direitos de cidadania que nos foram negados ao longo de séculos. Queremos que nos devolvam nosso corpo roubado, nosso direito a decidir sobre ele, nosso direito a pensar uma multiplicidade de novas questões e ensaiar respostas. Finalmente queremos acreditar de novo na força do *com* e do *partilhar* como caminhos conhecidos de nosso corpo, capazes de mudar nossas relações, e como caminhos novos, presentes nas novas circunstâncias em que estamos vivendo.

BERGUNTAR
PERGUNTAR

DEBORA
DINIZ

Ser uma perguntadeira feminista não é tarefa fácil. O patriarcado é traiçoeiro, nos ilude fazendo crer que basta usar o sinal de interrogação nas frases para que nossas perguntas circulem com a força de quem carrega a indignação. Mas "o que significa mesmo perguntar?", inquietava-se Paulo Freire.[1] Perguntar é "espantar-se", dizia ele, como se entre os dois verbos houvesse uma relação de anterioridade – para perguntar é preciso espantar-se.

Como feministas, aprendemos a ser perguntadeiras. É uma pedagogia movida por indignação e criatividade, que exige paciência e valentia. Como o neto em conversa com o avô no conto de Valter Hugo Mãe, outras feministas me ensinaram

---

[1] Paulo Freire e Antonio Faundez, *Por uma pedagogia da pergunta*. 8ª ed. Rio de Janeiro: Paz e Terra, 2019. p. 70.

que "um dia, eu passaria a ser capaz de colocar as minhas próprias questões, ofício mais difícil ainda do que procurar respostas".[2] Demorei nesse aprendizado, e ainda me atrapalho nele, até mais do que no de escutadeira. Quando me dei por gente, o patriarcado me confortava, o racismo me oferecia vantagens que eu ignorava como injustas e era incapaz de reconhecer meu próprio corpo como atípico.

Ensaiei minhas primeiras perguntas como uma *estraga-prazeres*, a personagem feminista de Sara Ahmed – aquela que franze a testa diante de piadas capacitistas, homofóbicas, misóginas ou racistas.[3] Eu era a previsível que subia a voz na mesa de jantar porque lembrava a dor ou a violência contra as mulheres. Não sei se a experiência da estraga-prazeres, *killjoy*, *aguafiestas*, é universal como penso ser na pedagogia feminista para ser uma perguntadeira, mas me encantam até mesmo as traduções para outras conversações. Preciso confessar que os efeitos de ser uma estraga-prazeres me deixam em um estado de intranquilidade. Eu percebo minha energia vital sendo escoada em um monólogo.

A minha mais recente experiência como estraga-prazeres veio em encontros virtuais durante a pandemia. A celebração da tecnologia foi anunciada como um alívio para os trabalhadores da casa – em frente a um computador, poderíamos simular o espaço social em que os corpos estariam ao redor de uma mesa. Se, por um lado, sentia-me privilegiada pela

---

[2] Valter Hugo Mãe, *As mais belas coisas do mundo*. Rio de Janeiro: Biblioteca Azul, 2020. p. 14.

[3] Sara Ahmed , *Vivir una vida feminista* [Viver uma vida feminista]. Tradução de María Enguix. Barcelona: Ediciones BellaTerra , 2018.

imunização trancafiada à casa, por outro, indignava-me o capacitismo do *novo normal*. Nos encontros virtuais, os corpos atípicos foram desimaginados, em particular os corpos surdos. Uma voz com câmera desligada pode significar a exclusão de participação a uma leitora de lábios com um implante coclear, por exemplo. Um dia, franzi a testa como uma estraga-prazeres e perguntei como imaginariam que eu responderia perguntas, se não era plenamente capaz de compreender as perguntas sem a leitura labial? Ser uma estraga-prazeres nos faz personagens ambíguas: por um lado, contestamos a normalidade das opressões, mas, por outro, a resposta não é desestabilizadora. No meu caso, todos abriram a câmera, mesmo os que não fizeram pergunta. Ao final, alguém ainda acreditou me elogiar como sendo dotada de *superpoderes*, pois não parecia ser uma surda.

Perguntar não é um verbo fácil, repito. A destinação de gênero em nosso corpo é seguida de uma intensa disciplina para o aprendizado correto das perguntas que importam ao patriarcado e suas tramas de opressão. Passamos a ser sobreviventes das interpelações patriarcais até mesmo nas situações mais brutais, como quando vítimas de estupro. "'O que o réu estava usando?' [...] 'Não sei.' 'Você quer dizer que este homem estuprou você e você não sabe o que ele estava usando?' Ele riu, como se eu tivesse estuprado o Sr. Freeman. 'Você sabe se foi estuprada?'", rememora Maya Angelou da violência sofrida aos 8 anos.[4] As perguntas seguiram-se como num roteiro repetido inúmeras vezes com outras meninas e mulheres pelo mundo. Angelou era uma menininha negra,

---

[4] Maya Angelou, *Eu sei por que o pássaro canta na gaiola*. Tradução de Regiane Winarski. Bauru: Astral Cultural, 2018. p. 103.

num tribunal de homens brancos nos Estados Unidos dos anos 1930. A gravidez não era suficiente para a verdade do corpo violado, pois era preciso responder às perguntas certas da brutalidade do poder: a cor da camisa do agressor, saber o que era um estupro, ter gritado ou buscado socorro.

É no percurso de responder às perguntas do patriarcado, em que há respostas certas pré-determinadas para que se acredite nas mulheres e meninas, que nos afastamos da vivência radical do verbo perguntar. É insuficiente contestar ao tribunal, "Mas por que a camisa do agressor importa para saber se a menininha foi vítima?". Esse é exatamente o murmúrio esperado, pois interagimos com a lógica de poder que nos oprime. É preciso aprender a perguntar no feminismo e, como dizia Paulo Freire sobre a pedagogia da pergunta, para aprender a perguntar é preciso "assombrar-se".[5] Mas que afeto seria o assombro? "O assombro é um encontro com um objeto que não reconhecemos; isto é, o assombro funciona para transformar o ordinário, o que já se conhece, no extraordinário", diz Sara Ahmed.[6]

Toda feminista já se assombrou com a brutalidade do patriarcado. Nós nos assombramos como vítimas e como testemunhas. É o assombro que nos move à indignação e, dessa mistura de sentimentos, estranhamos o patriarcado. Mas nem sempre o assombro é produtivo para o estranhamento – poucas menininhas foram como Maya Angelou, que gritou

---

[5] Paulo Freire e Antonio Faundez, op. cit. p. 75.

[6] Sara Ahmed, *La política cultural de las emociones*. Tradução de Cecília Olivares Mansuy. México: Universidad Autonóma de México, 2017. p. 272).

no tribunal: "Velho, cruel, sujo, você. Coisa velha e suja."[7] Há casos em que o assombro agiganta o medo e sentencia suas vítimas ao silêncio e à solidão. A história está repleta de mulheres que se arriscaram ou sucumbiram por serem perguntadeiras incômodas, pois "há uma relação indubitável entre assombro e pergunta, risco e existência", dizia Paulo Freire.[8]

A pedagogia feminista precisa movimentar o assombro criativo. Há quem possa praticar o assombro solitariamente em sessões de psicanálise; a mim, interessa mais o assombro encarnado pelo testemunho de si e da outra, como o vivido pelos grupos de consciência. Esse é o assombro criativo para o feminismo como um encontro. O assombro criativo é o afeto que ferve em nossos corpos quando praticamos o estranhamento, um exercício político e metodológico de deslocamento do patriarcado em nós. O assombro faz com que a pergunta seja vivida, por isso ser uma perguntadeira feminista é uma experiência tão perturbadora de si mesma e de quem nos ouve. Quanto mais simples for a pergunta, mais radicais seus efeitos. Talvez como vício de professora, eu acredito que aprendemos a perguntar e, mais ainda, que podemos ensinar umas às outras a perguntar de maneira a abraçar a diversidade do feminismo.

Para ensaiar a pedagogia da pergunta feminista é preciso, primeiro, mapear e dominar as perguntas do patriarcado e suas tramas de opressão. É preciso resistir à tentação de respondê-las no marco de poder que a enuncia. Mulheres

---

[7] Maya Angelou, *Eu sei por que o pássaro canta na gaiola*. Tradução de Regiane Winarski. Bauru: Astral Cultural, 2018. p. 103.

[8] Paulo Freire e Antonio Faundez, op. cit. p. 75.

racializadas ou de gênero diverso se confrontam com a pergunta "quem é você?". A resposta é um mandado de confissão do próprio corpo para que os espaços sociais sejam devidamente demarcados. "Você nasceu assim, foi acidente ou doença?" é a variação da inquisição confessional aos corpos atípicos.[9] Rosemarie Garland-Thomson conta como, antes de fazer-se feminista e anticapacitista, sua resposta era explicar a gênese de seu corpo. "Eu nasci assim", começava a fábula sobre si mesma. Ao entender que possui igual direito a estar no mundo imaginado somente para as pessoas de corpos típicos, Rosemarie Garland-Thomson passou a responder à pergunta de outra maneira: "Eu tenho uma deficiência e essas são as acomodações de que preciso." A pergunta feminista passou a ser um misto de testemunho e afirmação de si: "Você está preparado para transformar seu mundo para que eu caiba nele?"

Consegui fazer poucas perguntas em minha trajetória como feminista; a vasta maioria das perguntas que acalentam meus assombros me foram ensinadas por outras mulheres. Algumas dessas perguntas me foram dirigidas como assombros de outras mulheres às minhas práticas irrefletidas sobre o patriarcado e suas tramas de opressão, outras vieram no formato de um clamor: "Rogo a cada uma de nós aqui que mergulhe naquele lugar profundo de conhecimento que há dentro de

---

[9] Arrisco dizer que há um caráter culturalmente particular na forma como a pergunta inquisitiva feita aos corpos com deficiência se atualiza. Em inglês, Rosemarie Garland-Thomson disse ser *"What's wrong with you?"*. Em minha experiência como mulher surda, a pergunta é: "Você nasceu assim, foi acidente ou doença?" Peter Catapano e Rosemarie Garland-Thomson (orgs.). *About us: essays from the disability series of the New York Times* [Sobre nós: ensaios da série sobre deficiência do New York Times]. Nova York: Liveright, 2019. p. 7.

si e chegue até o terror e a aversão a qualquer diferença que ali habite. Veja que rosto têm", concluiu Audre Lorde em uma palestra sobre como o pessoal é político no feminismo.[10]

O exercício de mergulhar no lugar profundo dos estereótipos, discriminações e abjeções em nós não é fácil. Muitas vezes o lugar profundo não tem rosto, pois as opressões desfiguram suas vítimas, que terminam sendo desimaginadas por nós. Irrefletidamente, reproduzimos as perguntas do tribunal à menininha de 8 anos – saímos à procura da verdade da sobrevivência fora da vítima. Saímos à procura de saber que roupa o agressor usava. Por isso, a pedagogia da pergunta feminista não pode ser percorrida sozinha: precisamos de nossa diversidade e da valentia de quem pergunta e de quem escuta. Há risco no encontro com a pergunta das outras a nós, e na pergunta de nós às outras, mas não podemos temê-lo. É o assombro criativo das perguntas simples do feminismo o que move o estranhamento em nós; e, embaladas por ele, falaremos sobre a esperança feminista.

---

[10] Audre Lorde, "As ferramentas do senhor nunca derrubarão a casa-grande". In: *Irmã outsider*. Tradução de Stephanie Borges. Revisão de tradução de Cecília Martins. Belo Horizonte: Autêntica, 2019. p. 139.

IVONE
GEBARA

Perguntar é um dos verbos mais importantes e fundamentais no processo de socialização humana e, também, para o feminismo. Ele se manifesta desde a mais tenra idade de cada menina e menino, como se atestasse, por um lado, a curiosidade quase inata em nós e, por outro, o enigma de nossa vida, que pretendemos desvendar e conhecer. As perguntas *por quê?*, *como?* e *onde?* são os desdobramentos primeiros desse verbo que nos introduz ao grande desafio que nos acompanhará por toda a vida, que é o de compreender. Perguntamos para compreender, buscar, aprender, ensinar, perguntar, pesquisar, responder e voltar a perguntar sempre, até que a vida termine, e, assim, silencie o nosso perguntar pessoal. O verbo *perguntar*, etimologicamente, vem do latim *percontari*, que literalmente significa "sondar a profundidade das águas durante a navegação". E é preciso sempre verificar o nível das águas para que nenhum obstáculo se choque contra o navio ou o barco. Esse sentido foi transportado analogicamente para o conhecimento humano como um convite a medir, auscultar, examinar a vida para compreender algo dela. Quem pergunta quer uma resposta. E, sem as perguntas, as respostas não se mostram e o conhecimento não se faz.

Perguntar para compreender pode levar a satisfações, a alegrias, mas também a insatisfações, rebeliões e revoluções quando as respostas às nossas perguntas não nos satisfazem ou geram injustiças. E isso porque as respostas não são apenas para o intelecto, mas servem para re-situar nosso corpo em novas relações e para abrir caminhos para que a liberdade e a dignidade se tornem presentes. Por isso, há uma multiplicidade de perguntas e respostas, e todas, no final, querem compreender e dar elementos sobre a profundidade das águas nas quais nadamos, para sabermos se estamos a salvo, se elas nos sustentam e nos permitem navegar. Haveria uma diferença entre o *perguntar* dos homens e o *perguntar* das mulheres? Sem entrar no nível da biologia, mas situando-nos no rés do chão das simples relações humanas em nosso solo patriarcal, devemos admitir que sim. E a diferença surge do lugar mesmo a partir do qual fazemos nossas perguntas. O lugar cultural e social das mulheres foi, quase sempre, considerado inferior ao lugar masculino, e, por essa razão, as perguntas que as mulheres se fizeram em todos os níveis do conhecimento humano foram quase sempre consideradas de menor importância. Além disso, por causa de nosso lugar social diferenciado, nossas buscas e as respostas a elas são diferentes e igualmente marcadas por valorações diferentes.

Hannah Arendt, no livro *Compreender*,[1] coletânea de textos reunidos na tentativa de elucidar para si e para os que a rodeavam questões sobre os *totalitarismos* de sua época, nos convida a pensar. Ela sentia a absoluta necessidade de entender algo mais sobre o que ela mesma vivia e, por isso, se fazia perguntas e tentava respondê-las. Aquilo que buscava entender era, para ela, mais do que as perguntas clássicas da filosofia que analisavam a humanidade como um todo, perguntando sobre quem é o homem universal. Hannah Arendt redireciona suas perguntas às situações que vive, às águas nas quais navega. Permite-se sentir a dor real de suas perguntas e de suas preocupações, buscando, através de suas perguntas, compreendê-las, ao menos provisoriamente. Por isso expressava as tensões concretas vividas em seu tempo de denominação totalitária nazista, embora não desprezasse questões mais universais que vão além da circunstância que analisava. Perguntar e compreender eram processos cognitivos tão importantes para ela como são hoje para nós. A entrevista que concedeu ao jornalista Günter Gaus inicia o primeiro capítulo do livro. Ele quer saber o quanto ela sentia que seu trabalho intelectual poderia afetar pessoas ou influenciar comportamentos. A resposta dela é clara e direta: "[...] essa é uma pergunta masculina. Os homens sempre querem ser influentes demais, mas eu considero isso um tanto superficial. Se me imagino tendo influência? Não. Eu quero é compreender. E, se outros compreendem – no mesmo sentido que compreendi –, isso me dá uma sensação de satisfação, é como se sentir em casa."[2]

---

[1] Hannah Arendt, *Compreender*. Tradução de Denise Bottmann. São Paulo: Companhia das Letras, 2008.

[2] *Ibidem*, p. 33.

Perguntar e responder primeiro para si mesma. Compreender para si, para apaziguar o turbilhão que nos invade e as questões que a realidade local nos impõe. Se a pergunta e a resposta forem acolhidas por outras pessoas, então nos sentimos em casa. E podemos nos organizar coletivamente para fazer algo porque somos habitadas pelas mesmas perguntas. Assim fizeram-se revoluções, assim tentamos nos descolonizar, assim tentamos denunciar as muitas opressões e os muitos roubos de nossa vida, assim fizemos amizades e assim nasceram os feminismos. As perguntas saem de mim para as outras e outros quando as respostas que a sociedade nos dá não sustentam mais a vida, quando as respostas estabelecidas pelo *status quo* se tornam mentiras capazes de provocar a morte, ou quando as respostas expressam os velhos e novos totalitarismos que nos oprimem. Foi das perguntas de muitas mulheres oprimidas por muitas formas de dominação que nasceram reações libertárias e os muitos feminismos. Foi das dores de muitas mulheres que surgiram as tentativas de alívio coletivo, as marchas por pão e flores, as leis de proteção e de igualdade cidadã. Houve, em muitas situações, consenso nas perguntas e nas respostas, embora sempre fossem também plurais e contextuais.

Porém, sabemos bem que, nestes tempos difíceis que são os nossos, nem sempre nos sentimos em casa, mesmo umas com as outras. Introjetamos de tal forma os comportamentos patriarcais que, algumas vezes, não nos damos conta de que agimos como aqueles que criticamos. Às vezes, até entre feministas, há as que reproduzem condutas patriarcais, como se passassem todas as afirmações e todos os comportamentos das pessoas por uma espécie de peneira feminista, sem dúvida, superficial, porém fortemente denunciada por algumas outras feministas e chamada criticamente de *feministômetro*. Ele é parecido a um aparato intelectual fixo, de certa forma uma cópia feminina dos conceitos de julgamento patriarcal. O endurecimento de posturas que matam a compreensão, a possibilidade de perguntar, a acolhida do pluralismo de perguntas e de respostas se infiltram nas novidades que procuramos expressar através de nossas lutas contra o patriarcalismo. O surgimento do *feministômetro* é uma alerta para não entrarmos numa ordem dogmática, que nos tornaria carrascas umas das outras e nos desviaria do objetivo principal de nossas perguntas: a urgente necessidade de *justiça*, *liberdade* e *bem viver*.

Nossas perguntas e respostas feministas não podem exigir de nós um enquadramento em modelos fixos de feminismo a partir de uma ortodoxia exclusivista sem autocrítica e até desastrosa, sem que percebamos a complexa realidade que somos e na qual vivemos. Esse fechamento nos levaria a estar enredadas em nós mesmas, prisioneiras de um modo de ver o mundo a tal ponto rígido que não permite que sejamos capazes de chorar a morte de um amante – mesmo patriarca –, de um filho estuprador, de um amigo traficante de drogas, de uma filha militante de um partido de extrema direita, sem recebermos reprimendas do *feministômetro*. O feminismo não pode negar as emoções e situações diversificadas que sentimos, conscientes da diversificada consistência e inconsistência de nossos caminhos. O feminismo não pode reproduzir o mundo patriarcal através de formas vestidas apenas de tênue justiça feminista. Não pode pretender a posse de respostas puristas e coerentes a todas as nossas perguntas.

Perguntar leva a compreender que as respostas não são eternas e há que perguntar sempre de novo, porque as respostas que tínhamos se obscurecem ou perdem sabor com o passar do tempo; exigem novas perguntas acompanhadas de respostas diferentes. Nossas respostas deveriam carregar cuidados, ternuras, provisoriedades, diversidades, sabendo que nossos gritos, nossas raivas, nossos discursos cheios da verdade do momento passam. Tudo se transforma e passa.

Na tradição literária clássica, um perguntador exímio que sempre enfrentou Deus, o deus da ordem estabelecida, foi o Diabo. O Diabo é o que questiona a ordem. As duas personagens sempre se enfrentaram, e a vitória de Deus, o mantenedor da ordem, foi sempre relativa, embora se afirmasse como absoluta. Muitas vezes o Diabo assumiu corpos femininos, como na Inquisição. Os inquisidores acreditavam que, nas profundezas femininas, inacessíveis a olho nu, os demônios se escondiam e as tornavam presas fáceis na manutenção da malignidade. Não acreditavam na potência ou na força positiva feminina. Era preciso crer numa força maligna externa quando as mulheres saíam da ordem estabelecida. Por isso, no livro *O martelo das feiticeiras*, se lê que os inquisidores procuravam o demônio no interior da vagina das bruxas e estavam convencidos, por seus nefastos desejos e propósitos, que lá encontrariam respostas.[3] Nós, mulheres feministas, temos o Diabo, com certeza, do nosso lado. O Diabo ou a Diaba perguntadora, aquela que indaga pelos aparentes prodígios masculinos, pelas promessas não cumpridas, pelas desgraças acontecidas, pela fome das crianças, pela prisão dos filhos de muitas cores, pela falta de reconhecimento de direitos. Ah! O/a Diabo/a está conosco! Diaba como agitadora da ordem

---

[3] Heinrich Kraemer e James Sprenger, *O martelo das feiticeiras (Malleus maleficarum)*. Rio de Janeiro: Rosa dos Tempos, 2020.

desordenada do mundo patriarcal, como a perguntadora sem-fim, a denunciadora das mentiras, a inventora de novas poções, a desbravadora de novos caminhos. Ela, a Diaba, aquela força simbólica que divide a ordem estabelecida, que abre os conceitos fechados que identificaram nas bruxas, deve estar sempre conosco, alimentando nossas perguntas. Deve inspirar nossas respostas criativas, porque a tentação de reprodução da velha ordem é grande e, muitas vezes, imperceptível.

Nós, mulheres, sempre fizemos boas perguntas sobre a nossa condição e situação. Sem dúvida, isso não significa afirmar que fizemos perguntas da mesma maneira, ou perguntas que nos levaram coletivamente a agir na mesma direção. Mas fizemos perguntas incômodas que foram silenciadas, que nos levaram à experiência da ira e da violência de outros sobre nós, de diferentes formas e em diferentes tempos. As respostas que davam às nossas perguntas sobre a superioridade dos privilégios masculinos eram fundadas nos desígnios de Deus e da natureza, que assim o teriam determinado. De tal forma que nada podíamos fazer a não ser aceitar o nosso destino de subalternas. Essas respostas sobrevivem ainda em muitas culturas, religiões e políticas, embora o vírus da consciência de si e da consciência dos direitos sociais tenha penetrado em muitos lugares. De muitas formas ainda nos julgam filhas da Diaba, cúmplices do pecado de Eva, aliadas da extraordinária *serpente alada* com a qual Eva conversava – serpente que podia, ao mesmo tempo, se arrastar pela terra e voar pelos céus.

Quais são as perguntas mais frequentes do feminismo hoje? Perguntamos sobretudo as razões de tantas opressões que nos assolaram e que assolaram de diferentes maneiras nosso planeta e os seres que nele vivem. Perguntamos sobre o controle patriarcal de nosso corpo. Perguntamos sobre nossos salários mais baixos, sobre a falta de direitos civis e políticos. E, ao fazermos as perguntas sobre as opressões de gênero, percebemos que as perguntas, embora tenham um fundo comum, são contextualmente diferentes. Dependendo dos tempos, da classe, das raças, das culturas, das crenças religiosas e da escolaridade, as perguntas se multiplicam como se expressassem a complexidade de nossas opressões na complexidade de nossa vida.

Há, por isso, algo comum e algo diferente entre as nossas perguntas e a necessidade de respostas das mulheres. As respostas envolvem situações que não dependem apenas de nós, e por isso nossas perguntas são sem fim. Nenhuma resposta é totalmente completa. Nossas perguntas e nossos ensaios de resposta são sempre limitados, mesmo que tenhamos ações programadas para certas situações. Isso porque nossas ações são marcadas por certa racionalidade e por emocionalidades, além dos inúmeros cruzamentos que determinam o possível ou o factível e revelam suas nervuras, suas fendas, sua permeabilidade e impermeabilidade plurais.

No fundo, vivendo o mal-estar nessa realidade social mundial, percebemos que apenas damos alguns passos para o que chamaríamos de *nossa finalidade* ou *nosso objetivo*. Porém, essa finalidade ou esse objetivo nunca é nem será totalmente realizado. Faz parte da própria dinâmica do pluralismo da vida e da conflitividade da história humana a presença de abertura a algo para além de nós mesmas e de nossas propostas. Por isso nossa luta é sem fim e nenhum movimento a esgotará.

Vivemos, muitas vezes, como se percorrêssemos um labirinto em que as possíveis saídas não são, de fato, saídas totais. Temos, então, que refazer caminhos e buscar outras saídas/respostas que, provisoriamente, se apresentam como saídas, até chegarmos a um novo impasse. Só se sai do labirinto com a morte individual. E, com ela, em nós morrem Deus e o Diabo que inventamos para sustentar as nossas perguntas e respostas. Em vida, todas as nossas perguntas e respostas são novos poemas ou novas canções provisórias que compomos para apaziguar a condição de perguntadeiras que nos constitui. Perguntadeiras, parteiras e parideiras de perguntas – perguntas que nascem de dentro de nós para o mundo. E, então, como na velha canção "Sou eu", magnificamente interpretada por Simone, perguntamos ao sol, à lua e às estrelas sobre quem somos. As perguntas nos são devolvidas e respondidas em forma de poesia aberta, a única que pergunta e responde por símbolos, sem absolutos concretos. Assim, se expressa a força que nos habita e nos renova continuamente. Entre tantas perguntas e respostas que formulamos, Simone pergunta: "O que é o amor?"[4] É com ela que finalizo esta reflexão aberta a muitas perguntas e respostas, convidando-as a ouvir a música e, se puderem, cantarem-na baixinho em seu coração. Sintam a magia das perguntas e a delícia que é *perguntar*.

> *Pedi pro sol me responder: o que é o amor?*
> *Ele me falou: é um grande fogo*
> *Procurei nos búzios e tornei a perguntar*
> *Eles me disseram: o amor é um jogo...*

---

[4] Simone, "Sou eu". São Paulo: Sony/Columbia, 1993. CD (4min52s).

O FEMINISMO NÃO PODE REPRODUZIR O MUNDO PATRIARCAL ATRAVÉS DE FORMAS VESTIDAS APENAS DE TÊNUE JUSTIÇA FEMINISTA.

FALAR

DEBORA
DINIZ

No verbiário feminista, *falar* é conjugado ao revés: "elas falam" antes de "eu falo". É uma fala sempre plural, mesmo quando pronunciada por uma só voz. Há uma profusão de falas perturbadora ao patriarcado e suas tramas. Nós falamos de diferentes lugares de aparição e em dialetos. O lugar de fala é o da sobrevivência do corpo, por isso falar é testemunhar.

Nossos testemunhos são tão diversos quanto nossas formas de sobrevivências. Se falo é porque sou testemunha dos efeitos do patriarcado em nós. Não há feminista solitária, andamos sempre em bando, pois precisamos umas das outras para criar o que ainda não foi pronunciável. O ato do testemunho é um gesto político em que o corpo que fala se arrisca: ao testemunhar, disputamos espaços de aparição, e os poderes opressores resistem em alterar os privilégios de reconhecimento e circulação da palavra. O testemunho é uma pronúncia contra o silêncio e, por isso mesmo, uma fala de valentia.

"O que me ajuda?", perguntava-se Svetlana Aleksiévitch quando começou a registrar as memórias das mulheres que estiveram em guerras. "O que me ajuda é estarmos acostumadas a viver juntas. Em comunidade. Somos gente em comunhão. Tudo entre nós acontece na presença dos outros – tanto as alegrias quanto as lágrimas. Somos capazes de sofrer e contar o sofrimento", explicava.[1] Mas ser uma escutadeira não é tarefa fácil, já falamos disso neste verbiário – o poder conforma os sujeitos como seres altivos, explicadores e doutrinadores.

O patriarcado adora falar e escrever, raramente escuta: é um poder que cria e dissemina as histórias únicas, as mesmas que nos fazem desimaginar outras vidas e esperanças. Nos espaços legitimados de aparição de fala, como nos altares das igrejas ou nos assentos da política, há uma mesma paisagem de corpos – homens, embranquecidos na pele ou nos valores, encantados com o mandonismo. Há uma urgência em destronar os lugares de fala estabelecidos, e não porque queremos o monopólio da fala; o feminismo não é o patriarcado fanático ao avesso. Falar é fazer circular outras formas de vida.

A geopolítica do poder faz com que alguns sejam livre-falantes; algumas, confinadas a repetir; e muitas, forçadas a ouvir. As que repetem e ouvem jamais emudeceram, são como as mulheres contadoras de memórias a Svetlana Aleksiévitch – o silêncio da fala não era por falta do que dizer, mas por

---

[1] Svetlana Aleksiévitch, *A guerra não tem rosto de mulher*. Tradução de Cecília Rosas. São Paulo: Companhia das Letras, 2016. p. 14.

desinteresse de muitos em escutá-las ou pelo dever de confinar a palavra ao próprio pensamento. A pergunta indiscreta de Gayatri Spivak, *Pode a subalterna falar?*, já foi respondida de muitas maneiras. Arrisco repetir a que mais me toca: as mulheres subalternizadas sempre falaram, sua voz é que foi desconsiderada como legítima.[2] O *pode falar* é menos sobre a pronúncia e mais sobre a circulação da palavra, ou, segundo Djamila Ribeiro, "o falar não se restringe ao ato de emitir palavras, mas de poder existir".[3] Nunca houve mutismo entre irmãs, comadres e vizinhas feministas. O mutismo é uma tática de poder para fragmentar qualquer projeto político de *viver* ou *viver juntas*.

"Pensar o lugar de fala é uma postura ética", disse Djamila Ribeiro.[4] Fiz-me faladora em uma geração na qual as mulheres escavavam espaços de aparição. Depois de muito falar com feministas e contra o patriarcado, passei a me questionar sobre o conteúdo do palavreado que reproduzia – muito era repetição do feminismo civilizatório. O que havia de novo em mim era o pronunciado pela pedagogia do testemunho. Testemunho das mulheres que abortaram, testemunho das meninas na tranca, testemunho de outras com corpos atípicos. Foi apenas no desterro, nessa vida de empréstimo como estrangeira, que me descobri uma falante cuja voz

---

[2] Gayatri Chakravorty Spivak, *Pode o subalterno falar?* Tradução de Sandra Regina Goulart Almeida, Marcos Pereira Feitosa e André Pereira Feitosa. Belo Horizonte: Editora UFMG, 2010. Fiz a pergunta com gênero por uma provocação feminista.

[3] Djamila Ribeiro, *O que é lugar de fala?* Belo Horizonte: Letramento/Justificando, 2017. p. 66.

[4] *Ibidem*, p. 86.

partia de um lócus fraturado, como insistia María Lugones.[5] Eu conhecia o conceito, sabia dar aulas sobre ele, mas não o pronunciava como uma palavra sobre meu próprio testemunho. Arrisco dizer que só aí compreendi a subversão da ética proposta por Djamila Ribeiro sobre o lugar de fala – para escutar a pronúncia é preciso atentar ao espaço existencial de quem fala. Um espaço que é biografia, corpo e território; há passado e presente, e muita esperança.

Foi da consciência do lócus fraturado de minha própria existência que vivi um novo assombro. "Por que não se cala?" foi a pergunta que mais escutei em meus anos de desterro. O raciocínio era estreito, até mesmo por quem acreditava me interpelar para proteger – em silêncio, minha vida não estaria em risco, repetiam. O risco de destruição estaria em minha própria fala, e não na ameaça maldita do outro que me perseguia, explicavam. A responsável pelo desterro parecia ser eu mesma: uma feminista insistente em questões insuportáveis aos poderes hegemônicos. Demorei a entender como a pergunta era uma armadilha. Essa era a história única em circulação. Eu tinha que buscar a pergunta correta para desfazer-me dela e não cair na perdição de torná-la a minha gênese de sofrimento. Assombrada, compreendi como falar é resistir.

---

[5] María Lugones, "Rumo a um feminismo decolonial". Tradução de Juliana Watson e Tatiana Nascimento. *Estudos Feministas*. Florianópolis, 22(3): 320, set.-dez., 2014, pp. 935-952. Disponível em: <www.periodicos.ufsc.br/index.php/ref/article/view/36755/28577>. Acesso em: 6 jan. 2022. A vivência do exílio como uma vida de empréstimo (na minha experiência, antes um desterro que mesmo um exílio) é expressão que tomo emprestada de Paulo Freire, que conta que lhe foi oferecida por outro alguém.

Dizem que minha fala incomoda o patriarcado. Dizem, ainda, que sou valente ao não me silenciar. Se valente for o sentido dado por Judith Butler à parrésia de Michel Foucault, isto é, falar verdades que desafiam os poderes, sim, minha palavra é valente.[6] Verdade não é palavra que me intimida no feminismo – nem a mentirosa neutralidade dos cientistas me assusta, tampouco a incoerência do relativismo.[7] Há verdade em cada palavra das feministas contra o feminicídio: é horroroso que uma mulher seja morta simplesmente por ser uma mulher. Mas a valentia não é o afeto que move a minha palavra. Falo porque sobrevivo em estado de indignação às crueldades do patriarcado em nós. É pela palavra que testemunho o que outras mulheres me ensinaram a pronunciar. Como no verbo *escutar*, em que muitos afetos antecedem a escuta feminista, *falar* não é um verbo que se conjuga sozinha: falamos sempre em assembleia com outras. E, antes de falar, exercitamos o ofício da escutadeira feminista, assim como fez Svetlana Aleksiévitch antes de escrever.

---

[6] Sobre parrésia, Michel Foucault, *Discurso y verdad. Conferencia sobre el coraje de decirlo todo. Grenoble, 1982/Berkeley, 1983* [Discurso e verdade. Conferência sobre a coragem de dizer tudo. Grenoble, 1982/Berkeley, 1983]. Edição de Henri-Paulo Fruchaud e Daniel Lorenzini. Introdução de Frédéric Gros. Edição em espanhol de Edgardo Castro. Tradução de Horacio Pons. México: Siglo XXI, 2017. Sobre palavra "valente", veja Judith Butler, *Sin miedo: formas de resistencia a la violencia de hoy* [Sem medo: formas de resistência à violência hoje]. Tradução de Inga Pellisa. Barcelona: Taurus, 2020.

[7] O feminismo deve ser praticado como um artesanato – suas categorias analíticas devem ser sempre instáveis, diz Sandra Harding. O relativismo deve ser praticado como um método de pensamento, jamais como solução para os nossos problemas (Sandra Harding, "A instabilidade das categorias analíticas na teoria feminista". Tradução de Vera Pereira. *Estudos Feministas*, Florianópolis, n. 1, 1993, pp. 7-31. Disponível em: <www.legh.cfh.ufsc.br/files/2015/08/sandra-harding.pdf>. Acesso em: 6 jan. 2022).

Mas como identificar as falas que estremecem o patriarcado? Reparando aquelas cujo lugar de fala é o lócus fraturado, segundo María Lugones: "a tarefa da feminista decolonial inicia-se com ela vendo a diferença colonial e enfaticamente resistindo ao seu próprio hábito epistemológico de apagá-lo".[8] Para os exercícios de ver e resistir é preciso a pronúncia de novas palavras. Somos "amefricanas" e habitantes da "Améfrica Ladina", segundo Lélia Gonzalez.[9] Continuamos muito diferentes entre nós mesmas na abrangência da amefricanidade, mas há uma fratura em comum, aquela deixada pela colonialidade do gênero. É aí, nesse espaço por ser decifrado, que devemos habitar para a construção de um feminismo solidário.

Somos corpos diversos e não podemos temer a multiplicidade de fraturas, pois é da complexidade dessa interseccionalidade de sobrevivências que pronunciaremos novas formas de viver juntas. Falo por mim agora, confundida por minha própria palavra no largo da existência. Cada vez mais, quero desaprender os trejeitos do feminismo civilizatório, que falava sobre nós para algumas: quero ser uma entre muitas falantes de nós mesmas e, em bando com outras, fazer-me de sem-medo para desmantelar o patriarcado e suas tramas. Falar é agir pelo testemunho, é mover a palavra valente, aquela que diz a verdade e desafia o poder. É como uma latinoamefricana que conjugo o falar.

---

[8] María Lugones, op. cit. p. 948.

[9] Lélia Gonzalez, *Por um feminismo afro-latino-americano*. Organização de Flavia Rios e Márcia Lima. Rio de Janeiro: Zahar, 2020.

FALAR É RESISTIR.

IVONE GEBARA

Falar: mais um verbo que pretende expressar algo especial sobre a esperança feminista nestes tempos difíceis. Mas o que seria esse algo? Como se anuncia? Com que matizes se expressariam as vozes que o anunciam? Esperanças feministas! A esperança pode limitar-se a alguma ótica, a alguma perspectiva especial, a algum tema ou problema, ou a algum grupo específico? Essa espera por algo desejado, misturando-se à vida de todos os seres humanos de formas tão diferentes e às vezes contraditórias, pode ter sua especificidade feminista? Nossa fala de mulheres reduziria a esperança, tão imensa e universal, às causas específicas como são as nossas? Sabemos bem, por nossa vida, que tanto nossa fala quanto a esperança, apesar da aparência universal, só se vivem ou se exercem dentro de limites, a partir de objetivos, a partir de ações e temporalidades. Tal condição justifica e fundamenta o falar feminista em vista de uma esperança desejada e possível.

Falar é a emissão sonora, a articulação, a capacidade de pronunciar palavras usando nossa voz, aliada a todas as partes do nosso corpo e às forças do planeta em nós. Não só a voz fala, mas todo o corpo, e de muitas maneiras, embora tenhamos convencionado que a fala é ligada a palavras e a sons emitidos e audíveis. Lamentos, sussurros, suspiros, ais, choros, risos, gargalhadas, olhares, danças, silêncios, textos, pinturas, esculturas, pontes, casas, redes, panelas, plantações são falas de nosso corpo para outros corpos. Através das palavras e das coisas apenas tentamos balbuciar essa capacidade que a evolução da Vida produziu em nós. Transmutar nosso pensamento em sons e os sons em pensamentos. Unir sons e pensamentos às emoções variadas. Nomear as coisas e as pessoas. Nomear e articular sentidos e sentimentos por meio de palavras e de nossa fala interior e exterior. Quando pensamos o que é uma palavra, pensamos com palavras.

Expressamos coisas, impressões sobre animais, vegetais, seres espirituais, tudo utilizando palavras. Nós nos expressamos através delas. Compreendemos sinais com palavras, traduzimo-las com outras palavras, não as compreendemos palavras, interpretamo-las mal, amamos e odiamos com palavras, decretamos a vida e a morte de um grupo através delas. Sem dúvida alguma, *tudo é palavra*, tudo começa com palavras, tudo se cria e se desenvolve com elas. Por isso, magnificamente, o autor do quarto Evangelho, atribuído a um tal João, afirma que: "No princípio era a Palavra" (João 1,1), e, depois, a palavra se fez carne e habitou entre nós. Ou seja, a palavra é nossa carne. Nada existe sem palavra.

Até o mais ínfimo animal, um inseto, um verme, tem sua fala, sua palavra, e se comunica com seus semelhantes por meio dela, muito embora outros não a entendam. A palavra humana não é só pensamento, é gesto, vibração, aconchego, emoção, dúvida, repulsa, amor, ódio, medo, lágrima, ordem e silêncio. Tudo saído de nosso corpo. Corpo, palavra maior, desejada, liberta ou dominada. Corpo, palavra que sempre fala, embora nem sempre ouçamos ou compreendamos o que fala. Corpo, palavra que cala quando teme ou quando não sabe encontrar palavras para o que sente e então consente sem compreender. Falar e calar andam juntos como se fossem um mesmo movimento. A palavra pode ser audível ou muda, pode esclarecer e confundir, acariciar e apunhalar, protestar e consentir, fazer viver e morrer.

Fiquei me perguntando como o verbo *falar* pode expressar a *esperança feminista*. E, para tentar responder a essa pergunta, chamo o verbo *calar*. É porque fomos caladas de muitas maneiras que agora falamos publicamente, que gritamos nossas dores e buscamos outra ordem social capaz de sanar nossas feridas.

Creio que a história do silêncio forçado na vida das mulheres, do ocultar a importância de sua vida, a submissão naturalizada a que fomos submetidas, abriu-nos pouco a pouco para o desejo de um falar diferente. É a lenta e constante reconquista de nosso valor e autonomia, com seus muitos capítulos diversificados, desde o passado até o presente. Vale lembrar alguns caminhos percorridos, a título de exemplo.

Uma das primeiras reconquistas que me veio ao pensamento a partir do falar toca a questão da *linguagem inclusiva*. Nós nos demos conta de que havia pouca linguagem específica e positiva para tratar de nós. Sentíamos que tínhamos sempre que estar incluídas ou excluídas em uma palavra diferente da nossa:

a palavra masculina. Isso começou a nos incomodar, e começamos a querer nos explicitar sem a inclusão genérica masculina, a introduzir com mais frequência o artigo feminino *a*, a escrever *mulheres e homens, elas e eles*, para marcar presença cultural e social a partir da diferença de gênero. E isso porque não falar no feminino, não deixar presente as diferenças, pode ocultar seres, pode torná-los pouco importantes na história comum.

Então o feminismo fez as mulheres aparecerem de outra forma, assim como o antirracismo fez aparecerem os negros, as lutas dos povos originários e muitas outras raças. Porém, falamos delas e deles sem muitas vezes contar de fato sua história cultural, a riqueza de sua vida, de sua contribuição na construção do mundo. Apenas narramos suas escravizações, suas fraquezas, seus sofrimentos, seus serviços, sua utilidade para alguns. Essa é, de fato, a história contada pelos detentores do poder oficial que destruíram vidas ao longo da história. Agora queremos que as silenciadas e os silenciados falem publicamente, e nos falem, para que também falemos de suas riquezas para além da exploração que as falas patriarcais e brancas fizeram deles. Sim, *falas brancas*. Falar tem cor, tem sexo, tem classe social. Falar faz aparecer e desaparecer quem queremos que se destaque ou não.

A segunda reconquista do falar feminista adentrou o direito, as leis. Exigimos leis justas para decidir sobre nosso corpo – diferente e com necessidades diferentes – e defendê-lo. Exigimos que nosso corpo se introduzisse nos espaços do *mundo público*, que pudéssemos nos mostrar em profissões e cargos públicos em igualdade de oportunidades e de direitos que antes não podíamos ter. Começamos a falar e a escrever sobre nós e os outros.

Depois, incursionamos com muita luta, e rejeição feroz, nos espaços de pensamento e decisão das *religiões*. Mostramos que nossos deuses não eram tão masculinos quanto pareciam ser. Denunciamos que sua masculinidade tinha a ver com a posse de um poder de mando e comando assumido sobretudo pelos homens brancos. Descobrimos que nossos deuses não precisavam ser homens ou o dublê celeste dos homens. Tinham algo de Mistério, de sopro, de ar, de brisa suave, de terra, de água doce e salgada, de floresta. Nossos deuses – e deusas – tinham a ver com as fontes de nossa vida e eram bem maiores do que os pequenos ídolos de pés de barro impostos pelo mundo patriarcal.

Em seguida, percebemos que até nós que nos autodenominávamos *mulheres* podíamos ser diferentes do que nos descreviam. Podíamos ser de muitos jeitos e todos esses jeitos podiam ser de mulher. Por isso, a fala das mulheres se tornou fala plural sobre seu corpo e suas escolhas plurais. Ser mulher não é complemento nem oposto ao homem. É ser ricamente de muitos jeitos, com os ricamente diferentes homens, porque o mundo maior é um mundo que se sustenta na diversidade. Uma diversidade que exige respeito e diálogo mútuo em busca de uma convivência comum benfazeja.

Mas o pluralismo das falas, do falar diverso, incomoda os totalitarismos dos costumes, das línguas, das políticas, das religiões que preferem manter todas as falas aparentemente iguais e submissas a uma ordem estabelecida, designada como *natural*. É isso que o mito da Torre de Babel, presente no livro do Gênesis retrata e denuncia (Gênesis 11, 1-9). Segundo o livro, depois do dilúvio os homens começaram a repovoar a terra. Construíram uma cidade e decidiram edificar uma torre cujo ápice penetrasse os céus. E estabeleceram que se falasse uma só língua, embora fossem de povos diferentes. Yahweh, Deus, desceu para ver a cidade e a torre e não gostou do que fizeram. Por isso, decidiu dispersá-los pela terra, criando a diversidade dos povos. Poderes imperiais querem ainda hoje que todos falem uma mesma língua e calem a sua própria. Querem que as pessoas vivam num mesmo espaço capitalista aparentemente protetor, porém murado e sufocante, predeterminado como garantia da manutenção desses poderes.

E, então, a *divindade da diversidade* soprou, confundiu esses poderes, querendo tornar-nos plurais de novo, inclusive nas falas e nos gestos. E isso porque tudo o que existe só se mantém na diversidade e na interdependência da vida. O feminismo se rebelou *contra a naturalização* dos muros domésticos, da expressão única do corpo e dos silêncios impostos. Além disso, reivindicou o pluralismo das vozes, sabendo bem que essa exigência, muito embora fosse melhor e mais criativa, complicaria a vida relacional. Reivindicou não só o pluralismo das falas dos corpos, mas dos idiomas por meio dos quais os corpos se expressam. Gritou em muitas línguas e denunciou em muitos tons o desumano da ordem estabelecida, chamada *humana* – poderosamente masculina e marcada por violências, pela dominação de cores, hierarquias e privilégios.

Falar, fala negra, fala indígena, fala *queer*, fala diversa.

Falar para *contar pequenas histórias* dentro da história maior. Para descrever cadeias, favelas, fomes e abandonos onde vivem mulheres. Falar para revelar as alegrias que momentaneamente nos invadem e tornam nosso mundo cheio de beleza e ternura. Falar o nome de quem se ama, falar da saudade, de ausências, das fomes, de sonhos. Falar de possibilidades de um mundo onde caibam todas e todos. Falar em nosso nome, a partir das nossas entranhas, do nosso corpo, é parte de nossa revolução. Revolução não com fuzis e armas pesadas. Mas aquela que revolve a terra, os costumes estratificados, as crenças nefastas, para permitir que a força vital que nos habita se regenere e se reerga.

Somos um corpo que fala, mesmo quando não emite sons audíveis. Cada corpo fala de si mesmo, mas precisa ser perguntado para contar-se, para tornar-se história para os outros corpos. Cada corpo necessita de outros para se falar, para se amparar, para se ajeitar nas suas diferenças, nas suas habilidades e desabilidades, nos seus limites e necessidades. Precisa falar e ser ouvido para confessar afetos que o habitam, tristes lembranças e medos que o atormentam. Precisa ser ouvido e respondido, ser olhado e confirmado. Enfim, somos e habitamos nas muitas falas que nos constituem.

Hoje o feminismo ousa falar de *reorganizar o mundo humano de outro jeito*. Grande ousadia das mulheres e de alguns homens. Ousadia que não quer mais o mesmo lugar na perpetuação do mundo patriarcal, mas, sim, derrubar o patriarcalismo de seu trono, abrir possibilidades diferentes de encontro, de solidariedades, de partilhas, de sororidades e fraternidades comuns. Devolver ao mundo seu pluralismo criativo. Esse é o grande desafio das falas feministas, embora saibamos dos limites que nos tecem e nos envolvem. Mas falar é como expressão múltipla de nós, humanos: sempre limitados, apaixonantes e apaixonados, diversos e criativos, evoluindo sempre na evolução da vida.

Falar: verbo vital com o qual tudo *é* sendo.

DESOBEDECER

DEBORA
DINIZ

Queria ter guardado aquela revista. Eu me lembro das páginas amarelas, sua foto estampada ali: Ivone Gebara. Uma freira católica desobediente, ousada, diziam as vozes por todos os lados. Não me lembro do efeito que a leitura teve em mim, está tudo misturado ao que ouvi e ao que vivi depois daquele evento. Guardo o impacto de saber que a freira desobediente vivia nos arredores da freira enclausurada de minha família. A única irmã de meu pai, uma tia adorada, era monja carmelita descalça, daquelas de roupas escuras e pesadas, com múltiplos véus a cobrir os cabelos. Ela vivia guardada atrás de grades com espetos.

A irmã de meu pai faleceu antes que eu me aproximasse da freira desobediente. Fui eu que dei a notícia à Ivone de que ela havia morrido e que eu não havia ido ao seu enterro. Lembro-me de haver perguntado à tia-monja algumas vezes sobre quem era a freira desobediente, onde vivia, que ordem professava, o que fazia em nome da fé. As respostas não me marcaram, eram sem profundidade. Ou repletas de segredo, não sei dizer. Diziam-me que a freira desobediente, se queria mesmo ser tão desobediente ao ponto de falar em descriminalização do aborto dentro da Igreja católica, deveria abandonar os votos ou mesmo a fé. Uma freira desobediente que, além de tudo, se autonomeasse feminista, era uma incoerência, uma ofensa aos católicos do mundo. Eu pensava como uma só mulher poderia ser tanto – intimidar os homens de fé com autoridade dos sermões e confissões.

Eu sempre gostei das feministas incoerentes, pois só o dogma carrega a própria repetição e previsibilidade. A freira desobediente era como um espectro naquela minha proximidade quase clandestina ao mosteiro. Quanto mais feminista eu me tornava, e quanto mais valente era minha voz contra o patriarcado, mais gente desconhecida chegava às grades do mosteiro para dizer que a sobrinha de uma delas era desobediente como a freira desobediente das páginas amarelas. Nunca soube o que diziam, só sei que fuxicavam muito, pediam que rezassem por mim – não por amor, mas por abjeção. Era preciso me silenciar, eu não era batizada? Pois que me excomungassem, diziam. O ódio não me alcançava pela voz das monjas, parava nelas; era acalmado pelas orações, imagino. Que efeito causava entre elas, eu não sei. A tia-monja morreu, e nunca falamos de como o ódio contra mim chegava nela. Hoje, não me interessa saber seus tormentos pela voz de outras. Essa foi uma forma de viver o acalento entre mulheres tão diferentes.

Precisei escutar a freira desobediente para me assombrar da fúria patriarcal contra as mulheres de fé com palavra valente.

Meu feminismo civilizatório pouco lia as feministas de fé, uma arrogância que não só ignora o acalento rebelde da freira desobediente, mas também a vivência de muitas mulheres do mundo. As mulheres de fé são mais comuns ao feminismo do que eu, uma colonizada pelas abstrações do liberalismo civilizatório. Nós nos encontramos quando a tia-monja morreu. Pronunciamos seu nome religioso e tentamos traçar nossos passados por meio dela, aquela que não mais existia, mas que conhecia nós duas, feministas desobedientes, cada qual ao seu jeito.

Eu sabia que a freira desobediente tinha sido ameaçada, castigada e perseguida. Recebeu do Vaticano a penitência terrível contra uma feminista: deveria se silenciar, não poderia perguntar nem falar. Sua tragédia circulava em mim como fragmentos de uma normalidade patriarcal – foi castigada porque falou coisas indevidas à teologia católica. Demorei a reparar minha desimaginação, e, se o fiz, foi fora dos livros. Eu pedi para ser sua escutadeira, queria aprender com ela o que ignorei no tempo vivido. A freira desobediente foi castigada porque o patriarcado católico pode ser fanático contra as mulheres de fé. Ao celebrar nosso encontro nos doze verbos, desobedeço a memória e faço agora o que fui incapaz de compartilhar no assim-foi de suas dores.

Escutei de seu tempo no estrangeiro, onde foi obrigada a estudar. Precisaria aprender para não ser tola mais uma vez. Não há freira desobediente à história única. Se falou coisas desagradáveis ao poder, é porque foi tola. Por isso, precisaria estudar mais para repetir melhor, por isso voltou à escola – estudaria o que os homens escreveram sobre as mulheres, sobre a fé e o corpo, sobre o sexo e a família. Pensar livremente, fazer as próprias perguntas, pronunciar novas formas de aproximar e compartilhar não seriam tarefas para as mulheres de hábito, só para os homens de batina. A freira desobediente estudou, escreveu e jamais se silenciou. Fez como outras mulheres antes dela, muitas anônimas e sem registro da história senão a memória de outras mulheres: desobedeceu fazendo-se de obediente. Desobedecer é inventar a vida.

Quando me lembrei do que desconhecia, passei a escrever cartões com abelhas à freira desobediente, tal qual centenas de pessoas anônimas fizeram quando ela foi enviada para o castigo no estrangeiro. Este foi o único verbo do verbiário feminista escolhido por ela.

DESOBEDECER
É INVENTAR
A VIDA.

IVONE
GEBARA

Desobedecer talvez seja um dos verbos que mais caracterizam o movimento feminista. As feministas são, com frequência, acusadas de desobediência, e elas mesmas se afirmam como desobedientes a uma ordem imposta, que excluiu e exclui a maioria das mulheres de direitos básicos. Desobedecer é infringir ordens dadas, costumes, tradições, leis que se pretendem reguladoras de comportamentos e guardiãs da convivência comum. Em muitos processos educacionais patriarcais, as palavras que se colocam contrariamente a esse sistema – como é o caso de *desobediência/desobediente* – são quase sinônimo de infração a regras de convivência social e, por isso, merecedoras de correção e até de punição. Da mesma forma, para as religiões monoteístas, as desobediências às leis divinas são controladas por um processo de acusação, confissão e penitência. Basta ver os manuais para uma boa confissão que ainda existem em setores da Igreja católica. Por exemplo, o *Manual para uma boa confissão*, do padre Antonio Furtado, à venda pela internet.

Entretanto, se buscamos a etimologia da palavra *obedecer*, veremos que está ligada a um sentido mais amplo, que implica *ouvir com seriedade, com atenção* as pessoas e os acontecimentos da vida. A obediência real implica estarmos atentos e sermos cuidadosos uns com os outros; um consentir ao bem comum. Porém, a realidade percebida, ouvida e não acatada se torna primeiro desobediência dos privilegiados, dos que *não ouvem com atenção* a realidade da vida, dos que fecham seus ouvidos aos clamores de necessitados e necessitadas e lhes impõem fardos pesados. Então, se dá a rebelião de injustiçados e injustiçadas à ordem desordenada imposta.

O interessante na linha da compreensão desse verbo pelo feminismo é que, na realidade, ele nos leva a perceber que a obediência a uma ordem estabelecida e afirmada como legalidade pode ser obediência a uma ordem má ou injusta. E, de fato, foi porque a ordem injusta nos fazia sofrer inúmeras carências que nosso corpo reagiu e reage. Tomamos consciência crescente de que essa ordem excluía a nós e a outros grupos de direitos pela igualdade cidadã. Essa ordem, a partir da qual nos ajustamos, nos expropriou de nosso corpo, de nossos direitos, e nos considerou menos dotadas racionalmente, menos capazes de representatividade política e, por isso mesmo, mais vulneráveis a muitos tipos de violência. Essa ordem patriarcal precisa morrer para que formas mais libertárias surjam. Penso que por aí caminham em grandes linhas nossa percepção e interpretação das propostas do feminismo plural, que está entre nós e ao qual buscamos obedecer. Um feminismo plural com rostos diversificados, com formas de desobediência e de novas obediências diversificadas, nos convida a refletir e compreender suas pretensões e consequências sociais.

A afirmação lida no artigo 7º da Declaração Universal dos Direitos Humanos, "Todos são iguais perante a lei", é uma declaração formal que não tem correspondência na realidade dos fatos da vida corrente. Por essa razão, embora as leis sejam importantes, elas são, de fato, insuficientes para fazer valer a efetivação dos direitos. Todas e todos transgredimos os direitos humanos, isto é, favorecemos o eu em relação ao tu, favorecemos o *nós* como interesse corporativo em detrimento do bem comum, outorgando-nos um privilégio indevido sobre os outros. Isso atinge todos e todas, em medidas diferentes, tornando alguns reis e, outros, escravizados.

De certa forma, essa situação social nos leva a perceber como *obediência* e *desobediência* se sustentam em diferentes momentos e sentidos da vida. Uma não existe sem a outra. O fato é que, quando desobedecemos a alguma ordem patriarcal, estamos desobedecendo aqueles cujas ordens são muitas vezes contra o bem comum, contra o direito de igualdade cidadã. A aspiração libertária nos faz dizer que a usurpação de poderes e direitos não pode continuar. É, pois, no interior dos processos de exclusão e injustiça que decidimos não mais obedecer a quem oprime nosso corpo e nossa mente. São estes que clamam por outra ordem de vida e de obediência. Sim, porque desobedecer não elimina a necessidade da obediência, de consentimento comum à construção real de novas relações hoje e sempre. E, ao dizer isso, estamos entrando certamente em terreno minado, e convidando-nos a pensar na absoluta necessidade de avaliar nossos caminhos feministas para além de nossas palavras de ordem, de nossas manifestações públicas sobre a diversidade de identidades a serem respeitadas, de nossa publicidade através dos meios de comunicação social, para além de um certo messianismo que tem caracterizado algumas de nós.

Tudo isso nos leva a uma *questão filosófica* de grande importância, porém pouco considerada nos processos educacionais nos quais vivemos. *Por que obedecemos e por que desobedecemos?* Há muitas formas de responder a essa questão, mas gostaria de enfatizar, em primeiro lugar, uma que, a meu ver, precisa ser lembrada de forma especial. Embora não seja psicóloga nem psicanalista, ouso aventurar-me a falar brevemente da condição narcisista que nos habita, ou seja, de uma espécie de sedução indevida de nós por nós mesmas e nós mesmos, que se projeta nas relações e instituições sociais. Podemos afirmar que todas e todos temos uma dimensão narcisista que nos garante a sobrevivência individual, muito embora sejamos igualmente um coletivo, um nós. Entretanto, a individualidade exacerbada nos faz correr o risco de esquecer o coletivo. Corremos o risco de reduzir o real, tão complexo, a um desejo individual de poder. Por isso, se pode afirmar que há em nós uma espécie de extensão ou expansão do narcisismo na ordem estabelecida. Porém, há também um narcisismo das elites, que poderia ser qualificado de *maligno* por sua incapacidade de aprender o pluralismo do real e suas necessidades. E, temos que convir, apesar dos pesares, que há também processos narcisistas às vezes ingênuos nos feminismos.

Chamamos a atenção sobre nós, sobre nossa causa, muitas vezes como se apenas dependesse de nós a restauração de relações de justiça, ou como se nossos gritos em uníssono sensibilizassem governos corruptos a elaborarem leis justas. Reproduzimos, sem perceber, muitos comportamentos que condenamos nos outros, como se nosso lugar de fala fosse um absoluto, como se representássemos todas as oprimidas de nosso tempo, como se falássemos publicamente em seu nome, como se conhecêssemos o melhor caminho para elas, como se de nós, e apenas de nós, adviesse um mundo melhor para as mulheres.

Sabemos que o narcisismo das elites gira em torno de personagens poderosos, capazes de tornarem-se modelo e referência, sobretudo para os que têm algo dessa mesma expressão narcísica e para aqueles que, por medo de perder a vida, se submetem a esse poder. O poderoso se torna plural ou coletivo e precisa de outros para se afirmar como um grupo. Ouso pensar que a maioria das pessoas, mesmo vivendo numa ordem injusta, numa situação de carência, quer apenas pedir algo para si, respeitando de maneira acrítica as vontades ditas superiores. O bem coletivo lhes preocupa pouco porque não conseguem, ou não querem, mudar a situação, chegando a temer perder os pequenos privilégios de que gozam.

A questão da obediência e da desobediência me fez lembrar da fábula do lobo e do cordeiro, de Esopo. Ela nos convida a nos perguntar não apenas se somos lobas ou cordeiras, mas de que forma esses comportamentos se manifestam em nós e em nosso meio, e como podemos mudar as regras do jogo assassino dos mais fortes, aos quais muitas vezes aderimos como a um destino.

Eis a fábula:

> Um lobo, ao ver um cordeiro bebendo de um rio, resolveu utilizar-se de um pretexto para devorá-lo. Por isso, tendo-se colocado na parte de cima do rio, começou a acusá-lo de sujar a água e impedi-lo de beber. Como o cordeiro dissesse que bebia com as pontas dos beiços e não podia, estando embaixo, sujar a água que vinha de cima, o lobo, ao perceber que aquele pretexto tinha falhado, disse: "Mas, no ano passado, tu insultaste meu pai." E como o outro dissesse que então nem estava vivo, o lobo lhe disse: "Qualquer que seja a defesa que apresentes, eu não deixarei de comer-te."
>
> A fábula mostra que, ante a decisão dos que são maus, nem uma justa defesa tem força.[1]

Pois é, a razão do mais forte é sempre a melhor e parece ser a vitoriosa. Como mudar essa lógica? É possível mudá-la? Para responder a essas questões, temos que nos lembrar de que, no mundo patriarcal, os chefes sempre quiseram assumir para si a direção da vida das outras pessoas, fazendo-nos crer sobretudo em nossa própria incapacidade e inaptidão para gerenciar nossa vida. Mas também há que admitir que parece ser uma solução comum obedecer a um chefe, general, imperador ou deus, atribuindo a eles toda a responsabilidade sobre os acontecimentos da história e de nossa vida. Não fui eu que sujei a água, foi o lobo. Não fui eu que fiz isso, foi o chefe. Não fui eu, foi a serpente. Não fui eu, foi a mulher. Não fui eu, foi o homem. Jogamos uns sobre os outros a culpa pelo

---

[1] Esopo, *Fábulas completas*. Tradução, introdução e notas de Neide Smolka. Moderna: São Paulo, 2015.

malfeito, e a responsabilidade pelo benfeito fica quase sem dono. Culpar o outro, a outra: um álibi muitas vezes útil para permanecer perto do lobo, para não sair correndo e buscar outro caminho, para seguir raciocinando com o lobo, tentando convencê-lo de minha inocência quanto ao sujar a água. Como sair do polêmico impasse de *culpar* os outros?

Hoje sabemos bem que os grandes ditadores e inquisidores nunca agiram sozinhos. Uma multidão os acompanhou e sustentou. Todos tinham homens que matavam e torturavam por eles e em nome deles. Tinham mulheres que os ajudavam e eram seu repouso. Pelo cúmulo que esta afirmação possa nos parecer torturar, matar lhes dá prazer: o prazer da crueldade, o prazer que se estende até os dias de hoje ao ver o outro sem ar, ouvindo-o gritar como no caso de George Floyd, que ocorreu em 2020, nos Estados Unidos: "Não consigo respirar!" Matar se torna prazer e espetáculo.

Diante desse espetáculo, a possível conclusão seria dizer que a humanidade é constituída de dois lados: o lado dos lobos e o lado dos cordeiros. Porém, não é tão simples assim. Os dualismos e oposições já não sustentam a complexa lógica social em que vivemos e a nova compreensão que temos de nós mesmas e nós mesmos.

A desobediência feminista nos abre para nossa condição, ao mesmo tempo simbólica e real, de lobas e cordeiras. E não só isso: não estamos sozinhas como o cordeiro da fábula, somos muitas a gritar o nosso direito à vida, a querer desobedecer e destronar a lei do mais forte. Estamos juntas para desmascarar seus artifícios, suas razões estúpidas. Nós, mulheres, estamos desobedecendo o estado de falsa democracia, denunciando a usurpação de seus poderes. Estamos gritando juntas para estabelecer outras leis e outra ordem para além das naturalizações impostas.

Por outro lado, nossa cultura e, nela, algumas religiões nos fizeram acreditar que um dia a história humana será de reconciliação total entre homens e mulheres, entre os grupos humanos mais diversos e todos os habitantes do planeta. Apesar de nossa aposta pela melhora de nossas relações, não é salutar desenvolver uma espécie de romantismo de final feliz sobre nossa própria condição. Por isso, setores feministas têm buscando outra forma de obediência, a ser vivida como educação contínua e prática. A obediência provisória e renovável como amor à vida, à humanidade, ao planeta. A criatividade e reinterpretação de tradições culturais, religiosas e políticas. Uma nova obediência se torna necessária, e ela não é espontânea, exige processos pedagógicos aplicáveis a cada uma de nós individual e coletivamente para que algo possa ser mudado.

Ouso dizer, finalmente, que com certeza essa nova obediência nascida de uma desobediência real às estruturas de dominação não será vivida por muitas pessoas, nem mesmo por muitas mulheres que se declaram feministas. Podemos ser cordeiras no próprio feminismo. Podemos nos mover através de palavras de ordem, de convicções de outras, de análises de outras. Podemos até elaborar novos catecismos de diferentes tendências, cores e sabores, e apenas segui-los sem inventar concreta e criativamente algo novo em vista da liberdade exigida no momento e a partir dos diferentes espaços que habitamos.

Volto a uma velha pergunta que me preocupa em relação à violência que nós, feministas, também produzimos. Trata-se do que chamo de *violência reativa*. É um comportamento que vivemos e impomos socialmente a fim de ganhar ou ao menos mudar o jogo social, que nitidamente está contra nós. Será que esse *contra nós* incluiria todas as mulheres? Creio que não, visto que há muitas que estão na luta da reprodução do mesmo sistema, que não chamam de *patriarcal* – nem usam outro qualificativo crítico para se referir a ele. Apenas naturalizam o mundo e buscam, na corrida de cada dia, um lugar ao sol, um benefício maior, uma garantia familiar e outras benesses. Com isso, afirmo também os limites do feminismo para as próprias mulheres.

Não seremos novas messias para o mundo todo. Nossa tentativa de pretensões universalistas de incluir a todas está fadada ao insucesso, porque há muitas forças lideradas por mulheres que são contra outras mulheres – e nós também estamos contra elas. A história é o enfrentamento de diferentes forças sociais, e esse enfrentamento não tem fim. Por isso, é melhor deixar a reflexão em aberto para que o pluralismo de muitas e a diversidade de perguntas e respostas possam emergir e tenhamos condições de decidir os rumos de nossa história de obediências e desobediências.

BIOGRAFIAS DE UM ENCONTRO

Já éramos duas mulheres adultas de diferentes gerações quando passamos a escutar o que uma e outra fazia com as palavras e práticas feministas. Ivone Gebara, nascida em São Paulo, filósofa e teóloga, e Debora Diniz, nascida em Maceió, antropóloga e pesquisadora. Ivone viveu no Nordeste, Debora ali fez raízes. As duas experimentaram mundos diferentes fora de casa, viveram tempos de desterro.

Uma se sentia continuada e a outra, confirmada. Uma despertava questões que a outra não havia pensado. Uma parecia corajosa, a outra, atrevida. Estávamos longe e ao mesmo tempo muito perto. Não nos conhecemos de corpo presente. Ainda hoje nosso corpo não se encontrou, não se abraçou, não se sentiu na entrega do afeto misterioso que nos une há tempos. Nosso maior encontro está nas páginas deste livro.

A primeira edição deste livro foi impressa
em fevereiro de 2022, ano em que se celebram:
o bicentenário da independência do Brasil, pelo decreto
assinado pela imperatriz Leopoldina, e do nascimento
da escritora Maria Firmina dos Reis; o centenário de
nascimento da cantora Dona Ivone Lara e da fundação da
Federação Brasileira pelo Progresso Feminino, por Bertha
Lutz, Isabel Imbassahy Chermont,
Jerônima Mesquita, Júlia Lopes de Almeida,
Maria Lacerda de Moura e Stella Guerra Duval.

O texto foi composto em Chaparral Pro, corpo 11.
A impressão se deu sobre papel off-white
pela Gráfica Santa Marta Ltda.